ANNA ET SON ORCHESTRE

Joseph Joffo est né en 1931 à Paris, dans le XVIIIe arrondissement, où son père exploitait un salon de coiffure. Lui-même devient coiffeur comme son père et ses frères, après avoir fréquenté l'école communale et obtenu en 1945 le certificat d'études — son seul diplôme, dit-il avec fierté et malice, car chacun sait que l'accumulation des « peaux d'âne » n'a jamais donné de talent à qui n'en a pas.

Celui qu'il possède, Joseph Joffo le découvre en 1971 lorsque, immobilisé par un accident de ski, il s'amuse à mettre sur le papier ses souvenirs d'enfance : ce sera Un Sac de billes *paru en 1973, tout de suite best-seller traduit en dix-huit langues, dont des extraits figurent dans plusieurs manuels scolaires et dont un film s'inspira.*

Suivront Anna et son orchestre *(1975), qui reçoit le premier Prix RTL Grand Public;* Baby-foot *(1977);* La Vieille Dame de Djerba *(1979);* Tendre Eté *(1981); et un conte pour enfants :* Le Fruit aux mille saveurs.

Anna est une petite fille qui ne dort pas beaucoup. Encore n'est-ce que d'un œil... En cette moribonde et Sainte Russie où souffle le vent des pogromes, il ne fait pas bon naître juif.

Heureusement, dans la famille Markov, la tendresse règne, immense comme la steppe. Et puis il y a un violon. Plusieurs, même, puisque tout le monde en joue. Seulement personne n'en joue comme Anna.

Léger comme un jouet, ce compagnon magique qui dispense l'ivresse et peut embuer les yeux les plus endurcis écartera les sombres menaces qui pèsent sur cette famille marquée.

Après avoir fui la bourgade des mauvais jours, le clan parvient au grand port de la mer Noire, Odessa, première étape de l'exil. De là, il faut à nouveau s'enfuir en embarquant sur le bateau de la dernière chance, surchargé de fugitifs.

Dans le froid qui étreint chacun en même temps que les ténèbres, soudain s'élève et chante le violon d'Anna. Ses arabesques bercent les uns et distraient les autres de l'angoisse qui rôde. C'est ce violon qui, cette fois-là, permettra à la petite fille et à tous les siens de se nourrir. Cette nuit-là et désormais, mille et une autres. L'escale d'Istamboul les abrite quelque temps de son pittoresque crasseux et multicolore, où s'attarde le parfum d'un passé somptueux.

(Suite au verso.)

Mais le violon les entraîne à Budapest, où il est roi. Maintenant, l'enfant virtuose est devenue une adolescente qui anime l'orchestre qu'elle a formé avec ses frères avec l'âme d'une étoile. Soir après soir, à travers autant de peines que d'enthousiasmes, Anna se forge une autorité qui fera d'elle le chef du clan.

Le succès est à ce prix... Un succès au bout duquel, après un intermède viennois bien dans le ton, le Paris de la Belle Epoque attend *Anna et son Orchestre* et son merveilleux tumulte.

Paru dans Le Livre de Poche :

UN SAC DE BILLES.

BABY-FOOT.

LA VIEILLE DAME DE DJERBA.

TENDRE ÉTÉ.

SIMON ET L'ENFANT.

UN SAC DE BILLES *(Série Jeunesse).*

JOSEPH JOFFO

Anna et son orchestre

ROMAN

J.-C. LATTÈS

Je remercie tous ceux qui m'ont permis d'écrire ce livre,
ma mère d'abord,
mes oncles et toute ma famille,
mon éditeur et toute son équipe qui ne m'ont pas épargné leur temps, leurs conseils, leur amitié,
mon ami l'écrivain Claude Klotz, enfin, qui a relu si attentivement mon manuscrit.

Ce livre est un roman et n'est pas un roman. Je me suis servi des histoires que ma mère et mes grands-oncles m'ont racontées durant toute ma jeunesse. Je suis reparti sur la plupart des lieux où se déroule l'action d'*Anna et son orchestre*. Mais les villes ont changé et la mémoire change les choses. Je ne suis pas historien. Qu'on me pardonne donc les erreurs que j'ai pu commettre. Les rues aussi ont changé. Mais, comme disait l'un de mes oncles violonistes : « Dans une chanson, ce n'est pas tant les paroles qui comptent, mais le mouvement, la petite musique. »

Alors, écoutez...

JOSEPH JOFFO.

LIVRE PREMIER

CHAPITRE PREMIER

Je cours de toutes mes forces dans la lumière jaune.

Dans trois heures, j'aurai onze ans.

Il y a un vent tournoyant qui nappe les champs et s'engouffre dans le châle que Marthe m'a tricoté l'hiver dernier. Les joues me brûlent, ma mère rit, elle tient ma main dans la sienne tandis que je l'entraîne.

Je la revois très bien : elle soulève de sa main libre sa jupe dont les bords sont frangés de la poussière du chemin, son chignon s'est défait dans la course et ses dents brillent dans les rayons du soleil.

— Pas si vite, Anouchka, encore trois heures.

Je ne ralentis pas. Dans la grande maison, tout doit être déjà prêt, les serviteurs ont dû mettre la table; je n'ai qu'à fermer les yeux et, à travers la clarté du ciel qui frappe mes paupières, je peux imaginer la lourde nappe brodée dont on a effacé les plis au fer chaud, les samovars, les couverts d'argent, les assiettes anciennes et les montagnes de gâteaux. Boris et les autres auront astiqué leurs violons et mis des chemises rouges. Avram va lever son archet le premier, et, dans la première volée de notes, je vais sauter en l'air comme un bouchon de champagne français; mon père me rattrape et son rire me fait vibrer les tympans.

— Joyeux anniversaire, Anna!

Je rouvre les yeux. Ce monde est plat jusqu'à l'infini. Comment puis-je croire que la terre est ronde? C'est encore une idée de Boris.

Tout dans ce pays est violent et fort : le soleil, le vent, le blé qui pousse raide et dru comme une brosse, tout est large et les odeurs sont enivrantes du printemps à l'automne. Et dans cet univers bourré de forces vives, sur le plan jaune et riche de la terre, je cours, moi, Anna Boronsky, faisant voler mes cinq jupons et une belle robe moirée que je mets pour la première fois.

Elle est arrivée hier dans un carton bleu pâle avec sur le dessus la marque d'une maison d'Odessa. C'est une énorme, énorme ville, très très loin vers le sud, bien au-delà des champs de blé de l'horizon. Je suis restée debout toute la soirée devant la haute glace de la chambre de maman avec des femmes à mes genoux; elles ne parlaient pas, car elles avaient toutes des épingles plein la bouche, ce qui me faisait peur — ce doit être terrible d'avaler une épingle — mais elles riaient de mon effroi et se moquaient de moi.

Elles ont cousu tard pour que ce soit prêt, j'ai vu la lumière de leurs lampes briller très tard avant qu'elles ne soufflent les flammes. Ce matin, j'ai trouvé ma nouvelle robe au pied de mon lit. Ce monde est merveilleux.

Nous nous sommes arrêtées, fouettées par une rafale plus violente que les autres. Je me souviens aussi qu'un char à bancs rempli de moujiks nous a croisées; leurs jambes pendaient comme des objets inertes et la semelle de leurs vieilles bottes frôlait le sol. Nous nous sommes écartées.

Voici les premières maisons du bourg. C'est Kezat, le village où je suis née le 14 septembre 1890. Je ne l'ai jamais quitté et je voudrais y vivre toujours. Il n'est pas indiqué sur la carte, c'est tout près d'Elizabethgrad.

Maman m'a lâché la main et j'ai couru encore plus vite dans le chemin de terre battue qui sépare les isbas; c'est sale et gris par ici malgré le grand ciel clair qui les surplombe.

Je tourne devant la ferme des Domka et des files de canards se dispersent, épouvantés par le bruit de mes talons; sur les courtes pattes, de petites boules d'or s'éparpillent dans la sente et se réfugient jusque sous l'auge de bois où viennent boire les porcs. Voici la place et à l'angle s'élève ma maison.

Je vais me précipiter vers le vantail lorsque je m'arrête net.

Un homme court vers moi : il est très sale et je ne vois pas son visage, tant il est couvert de barbe, et ses cheveux épais forment un rideau épais devant ses yeux. Il serre son poignet dans sa main et je vois qu'il y a du sang qui coule entre ses doigts. Il me frôle au passage et disparaît à toutes jambes.

Il y en a deux autres là-bas, à l'autre bout de la place. Ils ont des fourches et frappent sur quelque chose qui est par terre et qui doit être un sac de chiffon. Je vois le plus grand des deux hommes lever son outil et les trois pointes d'acier brillent avant de retomber avec un bruit mat, puis ils s'écartent et se mettent à fuir.

Je m'approche lentement tandis qu'un bruit de galop s'intensifie.

Je ne saurai jamais si ce sont les chevaux de mon père et de mes frères qui arrivent, ou ceux des trois hommes que je viens de surprendre. Père me relèvera évanouie quelques secondes plus tard.

Ce n'était pas un sac de chiffon que ces hommes frappaient. C'était Rabchek, mon chien.

Je suis la dernière de dix enfants, l'unique fille.

Quatre de mes frères sont morts, je ne sais pas comment. Ni mon père ni ma mère ne me répondent lorsque je leur demande des éclaircissements à ce sujet et, si je m'entête, je sens qu'il y a un secret redoutable là-dessous.

Je crie, je tempête, je fais des scènes jusqu'à ce que Marthe m'emporte hurlante de rage dans ma chambre, tandis que mon père fait vibrer la table de coups de poing en jurant qu'il préfère élever un régiment de garçons qu'une femelle minuscule.

Ces paroles accroissent mon désespoir et mes larmes sautent comme des puces de mes yeux; épuisée par le désespoir, il ne me reste plus qu'à

16

abreuver Popkei de confidences. Popkei me regarde d'un œil rond et apitoyé, se dandine, et finit toujours par se lisser les plumes.

Popkei est un perroquet multicolore que mon père m'a ramené d'un voyage à Kiev et que j'ai exigé pendant de nombreux mois.

Oui, décidément, j'ai dû être la pire des enfants gâtées. Après les grands repas qui réunissaient toute la famille et nos amis, je me souviens d'avoir roulé d'un bout de la salle à l'autre entre les bras de tous les cousins. Mes frères déchaînaient leurs violons et moi, je tourbillonnais de bras en bras au son d'une folle musique. Je dansais entre les assiettes, sautillais entre les verres et finissais toujours, hors d'haleine, entre les bras puissants de mon père. Il me soulevait dans les vivats et les rires; mes doigts s'enfonçaient dans sa barbe où coulait toujours une goutte de vodka.

Je dansais, je chantais à tue-tête, j'emplissais l'immense maison de mes cavalcades. J'y trouvais mes poupées partout. Je me souviens d'un soir où je les avais toutes assises sur les marches de l'escalier qui montait aux chambres : il n'y avait plus un centimètre pour poser les pieds et leurs yeux de bois, de chiffon et de porcelaine me regardaient comme une assemblée de femmes aux tailles réduites, aux robes éclatantes.

Je revois encore cet escalier chatoyant peuplé de visages identiques. Je m'étais battue avec Boris et Yanni, qui voulaient jeter mes poupées par les fenêtres... Mon Dieu, combien de fois me suis-je battue avec eux !

Mes autres frères, je ne sais d'eux à ce moment-là qu'une chose : ils sont gigantesques. J'ai un souvenir précis comme une photo : c'était en hiver, ils enlevaient la neige avec des pelles. Avec leurs barbes, leurs moustaches, leurs pelisses, leurs bonnets de fourrure, ils étaient des ours énormes, monstrueux; je levais la tête loin en arrière pour leur parler, ils avaient des dents blanches et des voix fortes.

Je savais qu'Avram était le plus grand, presque autant que mon père. Il me poursuivait parfois en grondant comme un ogre.

Après lui venait Maxime, qui savait marcher sur les mains et raccommodait mes poupées à grands coups de marteau.

Isaac et Yanni sont plus petits; ils sont inséparables et se ressemblent beaucoup. Leur désespoir est de ne pas avoir encore de barbe, et ils s'examinent dans la glace pour vérifier si elle pousse.

Quant à Boris, il est mon compagnon; deux ans à peine nous séparent; je lui dois mes plus belles bosses et mes plus grandes crises de rire. C'est un garçonnet bouclé, avec de grands yeux sombres, et on dirait, au pli de sa lèvre, qu'il est en train, toujours, de préparer une nouvelle espièglerie.

Et puis il y a papa.

C'est le chef des ours : le plus grand, le plus gros de tous, celui qui a le plus grand rire, celui qui galope le plus vite sur le cheval le plus robuste.

Cet été, il a refait la charpente du toit, et mes frères et lui ont fait un concours pour savoir qui resterait le plus longtemps avec une poutre portée à bras tendu au-dessus de la tête. Max a cédé le premier. Avram et papa sont restés face à face à se regarder chacun avec sa poutre, et le temps passait, et ils ne bougeaient pas.

Ils sont restés tout l'après-midi; comme le soleil se couchait, papa a dit :

— J'ai faim.

Maman a apporté la soupe et elle l'a fait manger à la cuiller. Quand il a eu fini, il a dit :

— Yvan Patchko doit passer à la fin de la semaine; va lui dire que je ne pourrai pas le recevoir, parce que j'ai un concours à gagner.

Avram s'est mis à rire si fort que ses muscles ont tremblé et qu'il a lâché la poutre, qui est tombée en ébranlant la maison.

Papa a lâché aussi et il a dit :

— Je ne pense pas que j'aurais tenu jusqu'à l'hiver.

Tel était mon père.

Je revois aussi, et c'est un souvenir moins drôle, une longue page blanche rayée de lignes étroites; sur ces lignes il y a des taches noires qui montent et qui descendent. Avram m'explique que ce sont des notes, mais je n'arrive pas à comprendre comment des taches sur un papier peuvent se transformer en chansons comme celles qu'il joue les soirs d'été ou les jours de fête. Je répète après lui le nom de ces notes, mais cela m'ennuie vite, je ne suis pas une élève attentive. Boris m'attend pour jouer. Popkei doit s'impatienter, il y a des fleurs dans le jardin, des moissonneurs dans les champs, bref, le monde du dehors est si plaisant, si attirant, si plein de jeux et de tentations qu'il est ridicule de perdre son temps à se pencher sur des noires, rondes, blanches, croches, qui ne me disent rien.

Et enfin, plus que tout le reste, quelle que soit la saison, quelque chose m'attire dehors, et ce quelque chose est Rabchek.

C'est la servante des Medeif qui me l'a donné. Maria Fedorovna a sonné un soir d'hiver, je me suis soulevée sur la pointe des pieds, elle tenait un chiot pelotonné dans sa pelisse de fourrure, et je l'ai pris avec un cri de joie, le soulevant par les oreilles. Il avait eu un gémissement plaintif mais ne m'avait pas tenu rigueur de ma maladresse, me mordillant les mains de ses dents pointues.

Il dormait au pied de mon lit et mon père avait dû faire trembler les vitres de sa grosse voix pour que j'accepte de l'empêcher de manger dans mon assiette.

Il était de toutes les promenades; il avait failli se perdre un jour dans les forêts qui commençaient au ras des champs et semblaient s'étendre jusqu'au bout du monde, toujours plus serrées, toujours plus impénétrables.

Et Rabchek avait grandi plus vite que moi. Il était un grand chien alors que j'étais encore une petite fille, courant avec les chevaux lorsque nous attelions la carriole pour aller visiter les fermes voisines.

Et, le jour même de mes onze ans, on avait tué Rabchek.

Je suis revenue à moi sur le grand sofa de la pièce de réception, au-dessous du portrait de Pierre le Grand. Marthe me frappait dans les mains et une odeur violente de vinaigre me soulevait le cœur — je la connaissais bien, c'était celle qui se dégageait du bocal où mon père puisait ses éternels cornichons qu'il engouffrait par kilos en les arrosant de vodka pure, transparente et limpide comme de la glace fondue.

J'éclatai en larmes, et je vis, déformés, les visages de mes frères et de ma mère penchés sur moi. Ce que je ne pouvais arriver à comprendre, c'était la raison pour laquelle on avait tué Rabchek : s'il avait été écrasé par les roues d'un de ces chars qui vont et viennent en période de fenaison, mon chagrin eût été immense, mais il y avait là quelque chose de pire, d'inexplicable, quelque chose qui s'ajoutait à mon chagrin et qui me causait une horreur profonde.

Pour la première fois de ma vie, je sentis fondre sur moi un sentiment qui jusqu'alors ne m'avait jamais effleurée : la peur.

Pourquoi ?

Pourquoi trois hommes tuaient-ils sauvagement un chien ? Je savais que Rabchek n'était pas méchant : il n'était pas possible qu'il les eût attaqués, ou mordus; tous les paysans, tout le village le connaissaient, les hommes, les femmes le caressaient souvent au passage. Il était le chien d'Anna Boronsky. Mon chien.

Alors pourquoi ?

Lorsque je pus poser une question entre deux sanglots, mon père me souleva dans ses bras et je vis de près ses yeux noirs. Derrière la tristesse subite qui s'y était réfugiée, il y avait autre chose et je sentis, d'instinct, que c'était la colère.

Sans un mot, me serrant contre lui, il traversa la pièce, le long corridor et nous fûmes bientôt à la porte de la rue.

Dehors le soleil brillait toujours, la place était vide et le cadavre de mon chien avait disparu.

Alors, mon père se retourna et me montra les murs de notre maison.

Mes yeux s'arrondirent d'étonnement : sur les pierres tièdes encore de la chaleur du jour, on avait peint une immense étoile et la peinture rouge avait coulé, traçant deux rigoles sanglantes jusqu'aux marches du perron.

Je connaissais cette étoile : c'était celle de David, la même qui figurait, creusée dans le bois, au-dessus de la porte de ma chambre.

Je sentais autour de ma taille son bras musculeux se crisper. Je baissai les yeux sur ma belle robe froissée tachée de larmes, de poussière et de vinaigre.

La voix frémissante me traversa. Il me semble encore l'entendre contre mon oreille :

— Les chiens ne tuent que les chiens, Anna, souviens-toi de cela.

Je ne pus arriver à comprendre ce qu'il voulait dire; je hochai la tête et murmurai :

— En tout cas, Rabchek s'est défendu, il en a mordu un à la main.

Le sourcil de mon père se souleva.

— Tu es sûre?

— Oui, je l'ai vu.

Il sembla réfléchir un instant et me demanda :

— Combient étaient-ils?

Je frissonnai.

— Trois. Ils ne sont pas du pays, je ne les ai jamais vus.

Il me déposa à terre, mit une main sur ma tête et je vis un sourire sur ses lèvres.

— Nous allons faire comme Rabchek, Anna, nous allons nous défendre.

... Mes souvenirs s'estompent concernant cette journée. Mes frères les plus grands et mon père parlèrent longuement à voix basse et j'entendis plusieurs fois les prénoms : « Vanich », « Vladimir », « Aliochka », « Dimitri »; je savais que c'étaient ceux des frères que je n'avais pas connus.

Quel rapport pouvait-il bien y avoir entre mes frères et Rabchek? La conversation se poursuivait tandis que, sur les genoux de ma mère, je mangeais sans appétit les gâteaux aux amandes que Marthe avait faits pour moi. Derrière nous, Yanni et Isaac jouaient en sourdine un air lugubre venu de Roumanie.

La flamme des lampes était baissée et on y voyait à peine; nos ombres désordonnées dansaient aux poutres du plafond.

J'entendis le mot de « juif » revenir souvent; il se mélangeait aux notes tristes des deux violons... Je dus m'endormir, brisée par l'émotion et la fatigue. Mon sommeil fut peuplé d'étoiles ruisselantes, de fourches brillantes et, sur les champs jaunes de l'été, un chien courait, courait et, malgré mes appels et mes larmes, disparaissait à jamais, avalé par la bouche sphérique et rouge du soleil couchant.

CHAPITRE II

— ANNA !

Boris m'appelle depuis longtemps déjà. J'ai entendu les fers des chevaux sonner sur les pavés de la cour, et c'est signe qu'une promenade se prépare, mais je n'ai pas envie de sortir : les nuages sont bas et leur ventre violet, plein à craquer d'une pluie tiède, ne me dit rien qui vaille.

Il pleut parfois des semaines entières. La pluie transforme la plaine en bourbier. Je déteste sentir mes bottes s'enfoncer dans le sol spongieux...

Non, décidément, Boris a beau s'égosiller, je ne sortirai pas. Je vais continuer à jouer avec Popkeï. J'ai entendu dire que les perroquets parlent, mais le mien n'est pas arrivé à sortir un seul mot, malgré tous mes efforts. Je lui tiens des conversations serrées, mais il me regarde de son air penché et s'enferme dans son mutisme — j'ai l'impression parfois qu'il le fait exprès. Cet oiseau pourrait parler, mais il ne le veut pas.

— Anna !

De guerre lasse, je me traîne jusqu'à la fenêtre et regarde.

La voiture est attelée, Max et Boris sont déjà installés, ainsi que Marthe. Lorsqu'il me voit, Boris hurle :

— Descends, on va voir le « feldcher[1] ».

Bon sang ! Cela change tout ! D'un bond, j'enfile ma cape, vide deux tiroirs avant de retrouver mon manchon, rafle mes bottes que j'enfilerai dans la voiture, et, en moins de temps qu'il n'en faut pour le dire, je suis déjà installée sous les fourrures. Marthe se serre pour me faire de la place et entreprend d'enrouler mes longues tresses en un chignon perché au-dessus de ma tête avec des épingles à cheveux dont elle a toujours plein les poches de son tablier.

Mon père a pris la place du conducteur et la longue lanière du fouet à manche de corne explose au ras des oreilles des chevaux.

Nous sommes partis.

Max chante à tue-tête tandis que Boris l'accompagne en jouant d'un archet imaginaire. Les chevaux trottent, il fait froid, mais, avec un peu de chance, nous serons à Zelvrost avant l'orage qui se prépare.

Zelvrost est un grand village, bien plus grand que Kezat. Il y a le marché aux chevaux, la halle au blé, et dans les rues étroites il y a toujours une foule de moujiks endimanchés qui jouent leur paie dans les estaminets et boivent leur gain jus-

---

1. Le barbier, arracheur de dents, accoucheur, etc.

qu'à ce qu'ils s'écroulent avec un bruit de tonnerre sur le plancher sonore. L'hiver on les réveille en leur frottant le visage dans la neige, l'été en leur envoyant de grands seaux d'eau du puits. Les paysannes viennent de toutes les fermes environnantes et vendent le beurre, les œufs et les peaux de renards pris aux pièges; elles envahissent les échoppes et ressortent avec des pièces de tissu, des plateaux de cuivre; les plus jeunes s'achètent de lourds colliers martelés qu'elles porteront les jours de fête et pour les mariages.

Au cœur de ce tumulte, de cette animation incessante, se trouve la rue Nevski et au centre de la rue Nevski on aperçoit une curieuse enseigne au-dessus d'une vieille porte : elle représente une pince qui enserre un objet bizarre que j'ai cru longtemps être une carotte et que mon grand frère Avram m'a expliqué être une dent pointue, une canine exactement.

Cette enseigne est celle de notre cousin David le « feldcher ».

La porte à peine poussée, je distingue mon cousin à travers la fumée opaque des pipes. David brandit des ciseaux, s'exclame, manque éborgner mon père qui l'embrasse à la russe, serre les mains de mes frères, et me soulève enfin. Il y a des hommes partout, assis sur les bancs autour des murs sombres, debout près de la porte et un assis devant un miroir minuscule piqueté de chiures de mouches.

David rit de contentement, pousse sans ménagement deux ou trois paysans somnolents et nous installe. Le spectacle va commencer et il vaut le déplacement.

C'est que David n'est pas que dentiste : il est coiffeur, il pose les ventouses, les sangsues, accouche les femmes, les vaches, coupe les taureaux; on dit aussi qu'il remet les membres cassés et soigne les incurables. Il est l'homme le plus célèbre du canton et tous ces hommes autour de nous viennent de loin pour avoir recours à ses services. Je suis très fière de mon.cousin David.

C'est un petit homme habillé, hiver comme été, d'une blouse sans couleur, d'un pantalon trois fois trop large et de bottes de cavalerie qu'il a ramenées d'un séjour ultra-rapide dans l'armée. Il raconte à qui veut l'entendre qu'il représente un cas unique dans les annales de la cavalerie du tsar : il n'a jamais pu rester plus de vingt secondes en selle sans tomber.

David a pris les poignées du long ciseau à deux mains et en trois coups taille dans la tignasse noire de son client, qui essaie en vain de constater les méfaits dans le miroir placé trop haut. Fascinée, je contemple la nuque blanche si rapidement dégagée et je frissonne en pensant qu'il pourrait m'en faire autant.

— Suivant! lance David.

Un homme s'est levé et s'est installé sur la chaise. C'est un commis. Il s'est fait beau, et les pointes de son faux col semblent vouloir lui percer les oreilles. Il est rouge et suant.

— Les cheveux? demande David, les ciseaux cliquetants.

28

— Non, la molaire.

Dans l'assemblée, un mouvement d'intérêt intense se manifeste : l'assistance est devenue attentive, les mains se posent sur les genoux, personne ne tire plus sur sa pipe. Dans mon coin, j'écarquille les yeux.

Avec un sens inné du théâtre, David pose ses ciseaux, se penche et sort d'un meuble bas une bouteille de vodka sans étiquette, qu'il brandit.

— Liquide aseptique, proclame-t-il, première opération. Ouvre la bouche, petit père.

Le petit père ouvre la bouche, s'étrangle, mais, impassible, David lui en fait ingurgiter une rasade à assommer un bœuf. Tous les yeux suivent la descente du liquide.

— Deuxième opération : extraction! lance David.

Il se tourne vers une porte qui donne dans l'arrière de la boutique et appelle :

— Igor!

Lorsque Igor paraît, il y a un recul dans l'assemblée.

C'est un fils de moujik natif de la région de Mourmansk. C'est un monstre. Doux et inoffensif comme un grand nombre de colosses, il est dévoué corps et âme à David, qui l'a sorti de prison en payant au commissaire une rondelette quantité de roubles. Un jour, en effet, un robuste Ukrainien sûr de sa force avait refusé de payer David qui venait de le raser sous le prétexte fallacieux que le rasoir ébréché lui avait irrité la peau. Igor l'avait soulevé et expédié sans élan à l'autre bout de la rue. L'Ukrainien, trois côtes cassées et l'humérus brisé en deux endroits, avait porté plainte.

— Igor, poursuit cousin David d'un ton emphatique, nous allons extraire la molaire de Monsieur.

Le commis, la cravate ruisselante de vodka, l'œil déjà vague, exhibe ses gencives enflées d'où jaillissent des dents épaisses comme des meules.

Je retiens mon souffle. Que va-t-il se passer ?

Igor est passé derrière le malheureux cramponné à sa chaise et dont toutes les jointures blanchissent. Le colosse a posé ses paumes larges comme des assiettes sur les tempes du patient et brusquement il serre.

Je sursaute sous le hurlement. David plonge sa pince dans la bouche béante, un mouvement violent de l'épaule du cousin, je devine déjà que l'opération est faite. Igor serre toujours et, tandis que David brandit triomphalement la molaire sanglante et carrée, les hommes autour de moi bondissent, lancent au plafond leurs bonnets. Gloire à David !

Le virtuose a repris la bouteille et arrose la cavité béante de vodka à 47 degrés.

— Troisième opération, proclame-t-il sous les vivats. Désinfection !

Le commis crache dans la sciure un mélange de sang, de salive et d'alcool tandis que l'affectueuse bourrade d'Igor le propulse sur ses jambes flageolantes.

— Je suis sûr que tu n'as rien senti! crie mon père.

Le miraculé sourit de toute sa bouche et fait passer au-dessus des têtes un panier plein d'œufs et un canard vivant aux pattes liées qui représentent son écot pour cette guérison éclair. C'est vrai qu'il n'a rien senti, ou plutôt les deux douleurs se sont annulées, l'écrasement de la tête a annihilé l'arrachage de la dent... Déjà, le brave homme est dehors, chancelant encore... le faux col de travers. Ce soir, dans tous les cafés de la ville, il se répandra en éloges sur David le magicien. Mais David est reparti au travail : il affûte son rasoir pour raser à sec un gros homme aux joues flasques qui a pris place dans le fauteuil de torture. David ne connaît pas le savon à barbe, il n'a que du mépris pour lui, cela fait vingt-cinq ans qu'il s'en passe, ce n'est pas demain qu'il va en user...

Par les vitres embuées, le flot des passants coule. J'ai tracé du doigt un petit cercle sur le carreau qui me permet de voir au travers et je regarde de tous mes yeux. De vieilles femmes passent avec en équilibre sur leur tête de véritables meules de paille, des enfants courent, voici à présent une patrouille de soldats... Je vois briller les brandebourgs et le fourreau des sabres luit comme les casseroles de Marthe le jour du sabbat, lorsqu'elle a passé une partie de la nuit à les astiquer.

Oui, j'aime ce pays, ces hommes rudes dont les étoffes épaisses dégagent des odeurs de bête ou de blé. En reniflant très fort, je pourrais savoir qui est charretier, berger ou marchand de bœuf, celui dont les mains sentent les arbres est un bûcheron, l'homme près de moi aux ongles noirs de fumée fait du charbon de bois dans la forêt, et ce grand gaillard jaune que l'on dirait venir des steppes kazaks dégage par tous les pores de sa peau l'odeur de laiterie qui révèle en lui le fabricant de ces fromages cylindriques que l'on vend jusqu'à l'autre bout de la terre, là où se trouve la ville aux mille tours et au large fleuve : Saint-Pétersbourg.

Peu à peu, l'échoppe de David s'est vidée. Marthe est revenue, son panier est plein.

Je me souviens encore avoir été au marché aux chevaux. Il y en avait de splendides, sans cesse des valets couraient de l'un à l'autre des étrilles dans les mains, brossant les longues queues, les crinières luisantes; comme c'était beau !

Nous revenions au crépuscule, entassés contre les achats de Marthe. J'avais les pieds sur un sac de maïs, et Boris me faisait rire aux éclats en imitant les grimaces et les cris du commis à la dent malade. Le soleil était rouge sur la plaine. Les chevaux trottaient ferme et j'aimais le gémissement joyeux des essieux. Le fouet de mon père claquait comme un pistolet et il me semblait que sa mousqueterie s'entendrait d'un bout à l'autre de la Bessarabie, le plus beau et le plus grand pays du monde.

CHAPITRE III

Il fait chaud dans ma chambre, trop chaud.

Blottie sous l'édredon, j'entends le crépitement des dernières bûches, à la lueur rouge des flammes a succédé une pâle lumière violette. Dans la demeure silencieuse, on n'entend que l'écroulement intermittent des braises en avalanches minimes. Tout est calme dehors, le vent est tombé. Le monde dort.

Contre ma joue droite je sens une autre joue, plus petite et plus froide : c'est celle de Macha, ma poupée préférée, celle qui a le privilège de partager mon lit. Les autres reposent, entassées, dans d'immenses placards aux portes noires.

Elles m'intéressent de moins en moins depuis quelque temps; c'est peut-être le signe que je grandis.

Je me retourne plusieurs fois et je m'enfonce encore davantage dans mon matelas que les tsiganes des routes du Nord viennent remplir de plumes aux premiers jours du printemps.

J'ai de plus en plus chaud, et, circonstance aggravante, j'ai soif.

— Tu n'as pas soif, Macha ?

Mon chuchotement n'émeut pas Macha. Je la regarde, ses yeux noirs que révèlent les dernières lueurs du foyer fixent obstinément le plafond. Macha dort les yeux ouverts. Plus j'attends et plus ma soif est intense. L'été, Marthe ou ma mère dépose une carafe d'eau sur ma table de nuit, mais l'hiver elles jugent que ce n'est pas utile. Or j'ai dû manger trop d'amandes au miel ou le borchtch était plus salé que d'habitude, en tout cas la soif me torture. Il n'y a plus à hésiter : je me lève.

Je frissonne dans ma longue chemise de nuit lorsque mes pieds touchent l'épais tapis. Je trouverai des chandelles à la cuisine.

Ma paume a rencontré la rampe de l'escalier. Je descends dans le noir, tâtant chaque marche du bout de l'orteil.

La lune passe un rayon languide entre les tentures qui masquent les fenêtres. Evitant les hauts fauteuils qui garnissent la pièce, je m'avance précautionnement en direction de la cuisine.

Voici la porte. La clenche glisse sous ma main, et tout à coup je suspends mon geste. On court dehors.

Il y a des halètements rapides, des semelles assourdies frappent le sol et un bruit métallique de clef résonne, tout proche.

Je sens mes cheveux se hérisser; devenus vivants, ils se dressent sur ma tête. Je m'élance dans la cuisine au moment où la porte s'ouvre. Par l'entrebâillement, je vois des formes s'agiter dans l'ombre et l'un des hommes éclaire une lampe. La flamme monte sous le verre.

— Baisse, Avram, on ne doit pas nous voir du dehors.

Stupéfaite, j'ai reconnu la voix de mon père. Avram est là aussi et je reconnais le troisième à son rire lorsqu'il s'écroule dans le fauteuil : c'est Salomon Kobër, un voisin. Le quatrième est immobile dans le fond et je ne distingue pas ses traits.

Mais que faisaient-ils dehors, en pleine nuit ? Que signifie tout ce mystère ? Mon père traverse la pièce et, lorsqu'il passe devant la lampe, j'étouffe un cri dans ma gorge.

Il porte une vieille houppelande de paysan, un bonnet déchiré et ses pieds sont enveloppés jusqu'à mi-jambe dans des chiffons comme les miséreux qui, le dimanche, demandent l'aumône à la sortie de l'église du village. Et surtout, surtout, son front, son nez et ses joues sont devenus noirs comme les visages des hommes de l'Afrique que l'on peut voir dans les gravures des livres de voyage.

Avram s'est déplacé. Lui aussi est habillé en moujik et lui aussi est noir. La frayeur qui m'avait un instant quittée me reprend. Il ne faut pas qu'ils me voient, je sens que s'ils devinent ma présence je serai grondée. Je remarque aussi que tous ont déposé de longues cannes contre le bas des fauteuils, seul Salomon Kobër tient encore la sienne à la main.

— Seigneur, quelle raclée! murmure Avram.

Kobër rit doucement et celui dont je n'ai pas encore deviné l'identité parle à son tour. C'est Maxime, un autre de mes frères. Une pèlerine crasseuse l'enveloppe tout entier. Il frotte ses mains gantées de moufles.

— Ceux-là ne s'y frotteront plus, grommelle-t-il.

Les quatre hommes restent rêveurs un instant et j'entends un tintement de verre; un liquide coule d'une carafe et cela me rappelle brutalement que j'ai soif.

Les quatre nègres boivent. Père essuie sa bouche de sa manche crasseuse. Ses yeux brillent joyeusement dans la lueur des flammes. Il lève son verre.

— Je bois à la paix et à la justice, dit-il. Puisse l'expédition de ce soir faire comprendre aux têtes brûlées qu'un bâton tenu par un juif vaut un bâton tenu par un chrétien.

Kobër avale d'un coup et lâche :

— Je crois que j'ai tué le mien. J'ai frappé comme sur un arbre et sa tête a fait le même bruit qu'une pastèque lancée sur un mur.

— Rien de plus dur qu'une tête russe, murmure Avram. N'aie pas peur, Salomon, je suis sûr qu'elle n'est même pas fêlée.

Il a sorti un chiffon de sa poche et se frotte le visage; peu à peu ses traits réapparaissent. Je ne sais quel sentiment me pousse, mais je m'élance soudain et saute sur ses genoux.

36

— Tu es tout noir, Avram, pourquoi?

Tous s'étranglent dans leur vodka. Je contemple le visage barbouillé de mon frère et passe mes doigts sur les taches restant au-dessus des sourcils touffus. C'est de la suie.

— Que fais-tu là, Anouchka?

Mon père s'est penché et je frissonne devant ce visage inconnu. Il comprend les raisons de ma peur, car à son tour il se met à frotter vigoureusement son visage et m'attire dans un coin de la pièce.

Je ne sais plus très bien tout ce qu'il m'a raconté. Je me souviens seulement d'avoir compris très peu de chose, sinon ceci qui m'a fait plaisir: les hommes qui ont tué Rabchek ont été punis ce soir. Ces hommes n'avaient pas fait que tuer mon chien, d'ailleurs, ils allaient de village en village et, lorsqu'ils rencontraient des gens comme nous dans une rue isolée, ils les battaient sauvagement. Ils avaient même plusieurs fois mis le feu à des maisons.

— Ce sont des fous, alors?

Mon père sourit:

— Oui, Anna, je crois qu'on peut les appeler ainsi, mais je crains que ce ne soit une folie qui ne se soigne qu'avec des coups de bâton.

J'ai dû rester quelque temps encore sur ses genoux, car, lorsque j'ouvris les yeux, le soleil était levé et je reposais, ma joue contre celle de Macha. J'étais lourde à présent d'un terrible secret. Père m'avait fait jurer de ne révéler à personne ce que j'avais vu durant cette terrible nuit.

A partir de ce jour, je ne m'endormis plus de la même façon. J'essayais de guetter le départ de mon père et de mes frères — je n'y parvins jamais; je me réveillais quelquefois la nuit, mais jamais je ne surpris une de leurs expéditions. J'ignorais même s'il y en avait de nouvelles.

Un jour que je jouais toute seule dans la maison, je trouvai derrière la porte du grenier une des cannes dont mon père se servait pour punir les méchants. Je la pris et fus stupéfaite : je pus à peine la soulever. Boris m'en expliqua la raison : elle était recouverte d'une écorce enroulée de bouleau, ce qui lui donnait l'apparence de bois, mais l'intérieur était en plomb.

En l'enfant que j'étais, une inquiétude s'était installée. Je me demande, au moment où j'écris ces lignes, si elle a totalement disparu plus d'un demi-siècle plus tard. Pour moi déjà, le monde basculait.

CHAPITRE IV

Ils sortirent souvent.

Je sais aujourd'hui que ce fut au début une fête joyeuse. Dans la nuit des villages, sur les places éclairées par le lumignon qui brille à la porte des estaminets, ils se mêlaient aux soldats. Ils jouaient les ivrognes, hurlant à tue-tête, repérant les hommes qu'on leur avait désignés et qui, la veille ou l'avant-veille, avaient fracassé une vitrine appartenant à un juif ou mis le feu à des granges où des juifs apportaient leurs récoltes, et la danse commençait.

Un soir, des hommes pénétrèrent même chez notre cousin le frizier. Après lui avoir chauffé la plante des pieds, ils lui volèrent son argent et lui cassèrent les os de la main droite avec une barre de fer pour qu'il ne puisse plus travailler. Mon père et mes frères retrouvèrent les coupables deux jours plus tard, dans une auberge à deux cent cinquante verstes de la maison.

La bagarre fut splendide. Les cannes volèrent. Il ne resta pas un tabouret intact dans toute la salle.

Ils étaient quatre et les moujiks neuf. Mais mon père pouvait étrangler un homme d'une seule main et l'on racontait dans le village qu'il était arrivé à sortir du cabaret avec trois hommes accrochés après lui et qu'il les avait assommés, tenant le plus gros par les pieds pour taper sur les autres. C'était un géant qui avait dépassé les cent kilos et Avram n'avait rien à lui envier. Je me souviens encore qu'il me soulevait sans effort avec son index auquel je me cramponnais des deux mains.

Il était un homme juste et bon, adorant manger, boire, vénérant sa femme, d'une tendresse débordante envers la petite fille que j'étais et qu'il n'espérait plus avoir. Fou de musique, je le vois encore maltraitant des heures durant un malheureux violon dont il n'avait jamais su jouer, ses doigts trop gros écrasant les cordes, jaloux de ses fils dont il avait fait des musiciens.

Je sais aujourd'hui qu'il adorait se battre. Depuis des années, les juifs avaient souffert de vexations, de brimades de toutes sortes. Ils s'étaient toujours tus, conservant en leur mémoire le souvenir d'anciens pogroms. Beaucoup parmi les vieux racontaient parfois à la veillée des histoires terrifiantes et ma mère m'obligeait à monter me coucher, mais des quelques phrases entendues je conservais l'image, dont une en particulier me poursuivit longtemps : celle des silhouettes de pendus oscillant, noires, sur un fond de maisons en flammes.

Et puis, mon père avait brisé la malédiction en

assommant ceux qui avaient tué mon chien et il avait brutalement détruit la vieille légende suivant laquelle un juif ne rend jamais les coups qu'on lui donne.

Et brutalement les coups avaient été rendus, et de belle manière. Pendant les mois de février et mars 1902, les expéditions succédèrent aux expéditions, les nuits autrefois calmes se peuplèrent de clameurs et de cris. Ils n'étaient plus quatre à présent, mais treize : des amis s'étaient joints à eux, et parmi eux le terrible Igor, le fidèle serviteur de mon cousin David. Sa renommée était immense et son ombre terrifiante semait la terreur dans les bandes antisémites qui s'organisaient et grossissaient de plus en plus. Mon père racontait, bien des années plus tard, qu'ils s'étaient fait surprendre un soir, au coin d'un bois, par cinq inconnus, et à la lueur de la lune, sous les frondaisons épaisses des arbres, il avait vu briller les couteaux et les serpes. Il s'était adossé à un arbre, serrant à deux mains sa canne plombée, prêt à vendre chèrement sa vie, lorsque Igor s'était déchaîné. Un gourdin dans chaque main, il avait bondi, frappant sous tous les angles, et en quelques secondes trois adversaires étaient restés sur le carreau; les autres avaient fui dans un fracas de branches cassées, traversant les fourrés comme des balles.

C'est que les bagarres du début étaient finies. Le nombre des ennemis augmentait sans cesse. Il n'était plus question de poings ou de bâtons. A présent, les couteaux, les serpes et les haches sortaient de sous les vestes et les houppelandes.

On racontait que le chef de la police d'Elizabethgrad invitait dans les tavernes de la région des moujiks étrangers au pays, les bourrait de vodka et, lorsqu'il les jugeait mûrs, leur expliquait que si les impôts étaient lourds, les vaches maigres, leurs femmes crasseuses et le temps à l'orage, tout cela était la faute des juifs et qu'une bonne correction ne ferait pas de mal à certains d'entre eux et grand plaisir au tsar, dont ils étaient les fils! Les moujiks n'étaient pas plus méchants que d'autres, mais, abrutis par l'alcool et la misère, ils croyaient ce que leur disait ce bel homme en uniforme chamarré, aux moustaches cirées et qui maniait si élégamment la cravache.

L'un d'eux, Dimitri, l'a raconté une fois à mon père :

— Le capitaine nous a dit que le tsar était très malheureux de ce qui se passait en notre Sainte Russie. Son cœur est triste de voir ses enfants sans argent et les juifs si riches. « Réfléchis bien, Dimitri, m'a-t-il dit. Les juifs prennent bien leur argent quelque part... et à qui peuvent-ils bien l'avoir pris, si ce n'est à ceux qui n'en ont pas, c'est-à-dire à vous, les moujiks ? » Après son discours, il nous a donné des kopecks et un policier nous attendait à la sortie de l'auberge avec un grand sac, et dans le sac il y avait des nerfs de bœuf et des manches de pioche. Je me suis enfui, mais les autres sont restés. Je t'en prie, Marko Boronsky, fais très attention, il y a des hommes qui viennent de très loin à présent, vous n'êtes pas assez nombreux pour leur tenir tête et cela finira mal, très mal.

Le brave Dimitri hochait la tête, et mon père baissait les yeux en réfléchissant. C'était vrai, les choses empiraient, les femmes jeunes n'osaient plus sortir seules dans les rues, on disait que même à Odessa d'étranges choses se passaient.

Domka, notre voisin, n'ouvrait plus ses fenêtres, et nous en riions. C'était un petit homme aux yeux d'épagneul larmoyants. Il fuyait mon père comme la peste, car il avait peur de se voir demander de participer à des batailles mouvementées.

Nous nous moquions de Domka le Lièvre. Nous avions tort, j'ai appris plus tard que ses parents avaient été tués lors d'un pogrom dans une petite ville près de Tsarskoïe-Selo et qu'il s'était enfui, seul survivant d'une famille de quatre enfants, à l'âge de quatorze ans.

Les jours passaient. Je sentais toujours cette menace suspendue au-dessus de ma tête. J'étais sûre qu'un soir il se passerait quelque chose et que ce quelque chose bouleverserait ma vie. Cela ne tarda pas.

Il était quatre heures, un après-midi. Je me souviens que nous étions autour du samovar et que je m'empiffrais de gâteaux au miel, lorsque Dimitri pénétra dans la pièce et demanda à parler à mon père.

Celui-ci faisait ses comptes dans son bureau, mais, entendant parler Dimitri, il sortit aussitôt.

43

Je revois la longue chaîne de montre qui coupait d'un trait d'or son gilet rayé.

— Qu'y a-t-il, Dimitri ?

Le brave homme tremblait de tous ses membres.

— J'arrive de la ville. Petrov, le chef de la police, a réuni une trentaine d'hommes; il a dit que ce soir tous les comptes seraient réglés avec les juifs.

Ma mère poussa vers Dimitri une tasse de thé et s'assit sans un mot sur la bergère. Elle avait repris sa tapisserie machinalement tout en fixant ses yeux sur notre visiteur, mais je savais qu'elle ne pourrait la continuer — ses mains tremblaient trop pour cela. Mon père encouragea Dimitri à parler d'un geste presque brutal.

— Il s'est vanté, poursuivit Dimitri, que, pendant un jour et une nuit, tous ceux qui s'attaqueraient à vous auraient tous les droits. La police et les soldats n'interviendront, a-t-il dit, que lorsque justice sera faite.

Dimitri prit sa tasse dans ses mains et la reposa presque aussitôt sur la table sans y avoir trempé les lèvres. Pétrifiée, je ne quittais pas son visage des yeux. Il avala sa salive et, comme pour combler le silence qui s'était appesanti soudain sur notre maison, il ajouta :

— On dit qu'au milieu des fléaux à blé et des manches de pioche qui vont être distribués aux volontaires il y a des revolvers.

Il y eut un long silence et je me mis à pleurer.

Mon père ne dit rien; il s'approcha simplement

de Dimitri, lui mit un bras autour des épaules et le reconduisit à la porte.

Lorsqu'il revint vers nous, le visage de Marko Boronsky semblait taillé dans le marbre.

— Que vas-tu faire ? demanda ma mère.

Il a regardé longtemps ses larges mains puissantes mais vides et j'ai su alors ce que pouvait être le désespoir chez un homme. Pourtant il s'est redressé, presque joyeusement.

— Je ne sais pas encore, a-t-il répondu, mais, quelle que soit la résolution que j'aurai prise, nos tourmenteurs souhaiteront que j'en aie pris une autre.

Il fallait faire vite, avant que la nuit tombe, et en cette saison elle tombait vite. Boris, Avram et moi avons couru vers les fermes et les maisons de nos amis. Avram agitait ses grands bras, attrapait les hommes au collet, tentait de toutes ses forces de les amener à la résistance. C'était inutile. Par Dimitri ou par un autre, la nouvelle avait circulé, elle s'était répandue comme la crue du fleuve et déjà nous pouvions croiser dans les ruelles des couples fuyant ver la forêt avec sur le bât du mulet un amoncellement hétéroclite de matelas, de casseroles bringuebalantes, de couvertures ficelées à la hâte, les enfants surmontant le tout, la poitrine oppressée de larmes. Enveloppées de leurs châles, les femmes pleuraient.

— Vous êtes fous ! jurait Avram, vous n'allez pas passer le restant de votre vie dans les bois !

C'était peine perdue. Les hommes, les dents serrées, arrachaient une branche et frappaient les montures, qui accéléraient malgré la charge.

Nous avons couru chez les Abramov et ils ont mis longtemps à nous ouvrir. Le père Abramov a gloussé lorsque Avram l'a exhorté à se défendre. Il nous a fait signe de le suivre et, d'un air malicieux, a appuyé sur une moulure de la cloison. Un panneau a glissé, dévoilant une cache. Abramov a refermé et a dit :

— J'en ai sept comme cela dans toute la maison. Cette baraque appartenait à un vieux juif qui a traversé quatre pogroms sans recevoir la moindre égratignure. Je m'apprête à prendre sa succession.

Il ricana stupidement, et, bien que je fusse encore très jeune, je sentis la colère m'envahir et me mis à crier :

— S'ils brûlent ta maison, Andrei Andreivitch, tu mourras étouffé dans ta cachette !

Je sortis, furieuse, et Avram et Boris durent me courir après.

Tous mes frères s'étaient éparpillés ainsi que mon père pour prévenir de ce qui se tramait et Marko Boronsky fit rapidement ses comptes. Ils seraient quatorze pour se battre et certains comptaient double, voire triple ; mais combien seraient les autres ?

Dans notre salon, nous sommes réunis.

Il y a quelques minutes, trois hommes à cheval sont arrivés. Ce sont des amis de mon père, ils font partie du Bund, le mouvement socialiste juif. J'ai été heureuse de ce renfort, mais j'ai vite déchanté : deux de ces hommes ont des lunettes, et, des manchettes trop larges de leurs chemises, sortent des poignets frêles qui se rompraient sans doute au premier choc; leur teint est pâle, ce sont des gens de la ville vivant dans d'éternelles bibliothèques et dont l'unique effort consiste à tourner les pages de leur livre. Non, ce n'est pas là une aide digne de ce nom. Je suis sûre que si mon père me laissait aller avec eux, je serais plus efficace.

Si le ton des voix est bas, les conversations vont bon train. Les traits sont un peu tirés par l'appréhension; seuls ceux d'Avram et de mon père restent sereins.

Ils ont déjà revêtu leurs habits sales. Avant de partir, ils s'agenouilleront devant la cheminée, passeront la main sous le manteau et étaleront la suie grasse sur leur visage.

— Il est huit heures, dit Kobër.

Lentement, ils se lèvent.

Marko Boronsky me soulève et m'embrasse. Je sais qu'il ne sert à rien que je lui demande d'aller avec lui.

— Laissez-moi aller avec vous !

Ma voix a retenti dans la salle et tous les yeux sont fixés sur moi. Je vois toutes les lèvres se détendre et rire.

Mon père me repose à terre, mais lui n'a pas souri.

— Je ne peux pas, dit-il, les méchants auraient trop peur en te voyant.

Il se tourne vers ma mère qui est restée dans l'ombre et l'embrasse à son tour. Je l'entends murmurer à l'oreille de son épouse :

— Raconte-lui une histoire, elle ne dormira pas sans cela.

Ils sont sortis un par un. Les sabots des chevaux ont dû être enveloppés de chiffons, car je ne les ai pas entendus s'éloigner.

Je pleure alors et ma mère me serre contre elle tandis que Marthe va rajouter des bûches. Mes frères trop petits pour suivre leurs aînés se sont approchés de la cheminée et jouent aux cartes, tandis que ma mère commence :

— Il était une fois un très méchant seigneur, très cruel et tyrannique. Il maltraitait le peuple, et plus particulièrement les juifs.

— C'était le tsar ?

— Non, Anouchka, ce n'était pas le tsar. Alors ce seigneur se rendit un jour au village où il y avait un pauvre, très pauvre menuisier.

— Comme Daros ?

— Non, ce n'était pas Daros, c'était un autre menuisier.

— Aussi pauvre que Daros ?

Ma mère me regarde et fronce les sourcils.

— Si tu m'interromps tout le temps, je ne pourrai jamais finir de te raconter mon histoire. Or, poursuit ma mère, ce menuisier vit le seigneur entrer dans son échoppe et se jeta à genoux, imité de sa Babouchka, de sa femme et de ses enfants.

— Combien avait-il d'enfants ?

— L'histoire ne le dit pas, tranche ma mère.

— Qui va le dire, alors?

Elle a tourné son buste vers moi et croise les bras.

— Anna, tu es exaspérante! C'est un détail qui n'a aucune importance et...

Elle s'est tue subitement. Comme elle, j'écoute. Au-delà du crépitement des bûches et des exclamations sporadiques de mes frères, il me semble percevoir une rumeur lointaine, très lointaine.

Seigneur, que se passe-t-il là-bas?

D'une voix presque blanche, plus hachée, maman poursuit son histoire:

— « Menuisier, dit le seigneur, je me marie demain et je n'ai pas de carrosse; je te donne vingt-quatre heures, pas une de plus, pour le construire. Si, ce temps expiré, tu n'y es pas arrivé, je te ferai fouetter par mes soldats devant le peuple tout entier jusqu'à ce que ton âme sorte de ton corps. »

Mes deux frères se sont arrêtés de jouer. Ils écoutent à leur tour cette histoire qu'ils connaissent déjà.

— Le petit menuisier se jeta aux pieds du seigneur, implorant sa pitié, mais l'autre resta inexorable et il sortit en répétant ses menaces. Il n'était pas possible au petit menuisier, bien qu'il fût habile et courageux, de construire un carrosse en si peu de temps. Alors sa femme, ses enfants, tous se mirent à pleurer.

— Ça ne servait à rien, dis-je.

— C'est vrai, aussi la femme du menuisier, qui

était très pieuse, alla-t-elle trouver le rabbin du village qui...

J'interromps à nouveau :

— C'étaient des juifs ?

— Oui, dit ma mère, on ne peut donner un ordre pareil qu'à un juif. Donc, le rabbin leur conseilla de prier, de prier toute la nuit, et en effet, toute la nuit, dans la synagogue, tous les gens du village se mirent à prier avec ferveur.

On entend plus distinctement la rumeur à présent, cela forme comme une sorte de roulement de tambour irrégulier, qui s'intensifie puis s'apaise pour renaître. Mon Dieu, faites qu'il n'y ait pas de coups de fusil, qu'ils reviennent tous vivants et souriants et que la soirée se termine dans des flots de vodka et de violons !... Maman se secoue.

— Et au matin, reprend-elle, quelle ne fut pas leur surprise lorsque, du plus haut de la plus haute tour, un héraut vêtu de noir clama, après avoir envoyé aux quatre points cardinaux un long coup de trompette : « Dieu, dans son immense clémence, a rappelé à lui notre seigneur, emporté brutalement dans la fleur de l'âge par une maladie mystérieuse. Le deuil est proclamé dans tout le pays pour un an. »

— Ça alors, dis-je, ça tombait bien !

Ma mère touche mes cheveux et défait lentement mes nattes.

— Très bien pour le petit menuisier, dit-elle. Au lieu du carrosse, il dut fabriquer un cercueil.

— C'est plus simple à faire, constaté-je.

50

— Oui, dit ma mère, pourtant le voyage est plus long.

Je soupire, réfléchissant à l'histoire, et conclus :

— J'espère qu'il prit tout son temps.

— L'histoire ne le dit pas, mais elle enseigne qu'il n'y a pas de situations désespérées et que, même au moment où tout va mal, quelque chose se produira qui sauve les petits menuisiers.

Je reste songeuse... Dehors, la rumeur s'était éteinte; peut-être un dieu vengeur et miséricordieux avait-il anéanti tous les méchants ? Mon père rentrerait victorieux.

CHAPITRE V

Lorsqu'ils étaient arrivés, le pogrom était commencé et la maison des Kobër brûlait. Andrei avait sauté par la fenêtre, mais trois hommes, dont l'un était un soldat, l'avaient coincé dans la cour et battu au fouet. Hurlant de douleur et de rage, Andrei, les chairs lacérées, avait été jeté dans le puits. Il avait pu s'accrocher à la corde, se cramponnant des genoux et des talons pour ne pas périr noyé.

A la lueur des torches, une foule hurlante avait envahi le quartier juif. Les carreaux éclataient en miettes sous les volées de pierres. A l'aide d'énormes bûches et de madriers maniés par trois hommes, les portes cédaient sous les coups furieux.

Mon père et ses compagnons s'étaient mêlés à la foule et avaient crié plus fort que les autres le cri qui depuis des siècles poursuivait nos frères : « Bei jidow[1] ! »

Saisissant les bâtons et les matraques dissimu-

1. Mort aux juifs !

52

lés sous les longs manteaux, ils avaient brutalement chargé et la mêlée avait été effroyable. Le sifflement des cannes plombées alternait avec les hurlements des blessés. Igor faisait tournoyer à bout de bras une chaîne de deux mètres de long qui creusait des cercles sanglants dans les rangs. Les assaillants surpris se dispersèrent, piétinant les corps, roulant assommés et ne faisant face qu'acculés dans l'embrasure des portes; à coups de poing, de pied, hurlant des injures, ils se battaient désespérément. Mais la victoire fut brève. De toutes parts des renforts nouveaux arrivaient et trois de nos compagnons cernés furent blessés. L'un d'eux, les os du nez écrasés par un coup de botte, tomba, se releva et put s'enfuir, perdant son sang à flots.

Mon père lança le signal de la retraite et courut avec ses hommes en direction de l'église, derrière laquelle ils avaient laissé leurs chevaux. Ils s'enfuirent au triple galop et personne n'osa les poursuivre.

Leur action n'avait pas été inutile. Trop d'éclopés n'eurent pas le cœur de reprendre les festivités et le pogrom s'arrêta là.

Pourtant les choses avaient changé. Marko et Avram Boronsky savaient l'un comme l'autre que le temps des représailles nocturnes était fini. La loi du plus fort s'exercerait bientôt impitoyablement.

Pourtant, trois mois s'écoulèrent sans incident. Comme si les deux communautés avaient pris la mesure l'une de l'autre, elles s'épiaient, chacune hésitant à porter le coup suivant. Dans les premiers jours du printemps, la neige retomba brutalement, puis en quelques heures un soleil violent la fit fondre et remplit les ornières d'une eau sale qui s'évapora très vite. Lorsque je descendis au jardin, il faisait chaud et je compris que l'hiver était déjà très loin.

Je chantais à tue-tête dans la maison et mis plus de cœur que de coutume à jouer sur mon violon une sarabande polonaise que je travaillais sans enthousiasme depuis plus de trois semaines.

Comme chaque fois que naissait une saison, la vie brusquement s'accélérait et nous vivions quelques jours sur un rythme nouveau. Boris, Yanni, Max et les autres meublaient notre maison de musiques endiablées que j'essayais de suivre, mais j'abandonnais très vite mon violon pour une danse tournoyante.

Je revois encore le monde basculer autour de moi : les arbres, les champs, mes frères, les chevaux ; j'étais au centre d'une rotation gigantesque dont le soleil était le seul point fixe, cercle de papier jaune cloué sur le mur bleu du ciel. Tout s'inversait et je tombais épuisée sur le sol tandis que mes frères jouaient de plus belle. Oui, avec l'été, les dangers s'étaient évanouis.

Ce fut en mai que la chose se produisit. Il faisait très chaud cet après-midi-là et les rues étaient désertes. Dans les champs, les paysans dormaient encore sous les abris de toile qu'ils avaient installés.

Sur la place, le père de Kobër était assis sur les

marches de sa maison, somnolent comme le sont les vieillards durant les heures chaudes. Brusquement, il y eut un nuage de poussière qui s'éleva de la grand-rue et un grondement de tonnerre éveilla tous les habitants, les jetant aux fenêtres. La terre sembla soudain trembler. Derrière mon carreau, je vis l'air brûlant frémir dans la lumière, et, déformés par la vibration, ils apparurent.

Les étendards gonflés par le vent de la course, les crinières flottantes masquaient les cavaliers. Ils jaillirent sans un cri, envahirent la place et me parurent des milliers. La main de Marthe se crispa sur mon épaule et elle me tira violemment en arrière. Je me débattais pour voir ce qui allait se passer, mais c'était inutile, un voile jaune s'élevait, occultant les carreaux. Je vis ou crus voir surgir des éclairs des naseaux dilatés couverts d'écume et des étincelles sous les sabots des chevaux.

Le bruit montait toujours. Il allait éclater dans ma tête. Je me réfugiai dans les bras de Marthe, essayant de ne plus entendre, mais c'était inutile.

Je savais qui ils étaient. Leurs noms s'étaient mêlés à trop d'histoires racontées dans les veillées. Ils étaient la mort lancée. Ils étaient le malheur, la destruction et le meurtre. Ils étaient les cosaques.

Avec la retombée de la poussière, le bruit décrut. Je pouvais à présent discerner l'autre côté de la place, les maisons floues encore se précisaient.

Alors je vis distinctement le vieux Kobër, assis

sur sa marche toujours dans la même position comme si rien ne s'était passé. Mais dans la poitrine du vieux il y avait une lance plantée, une longue lance qui oscillait encore et dont le fer traversant la poitrine s'était enfoncé dans le bois de la porte.

Marthe m'entraîna, mais il était trop tard, j'avais vu.

Mes frères sortirent, la place se peupla de monde. Domka lui-même se mêla à la foule. Le soir même, Boris m'expliqua que le chef de la police avait demandé l'envoi de cet escadron pour mettre de l'ordre dans le pays. Boris chuchotait. Nous nous étions réfugiés dans le grenier et je voyais ses yeux noirs bouger sans arrêt. Il était mon préféré. Il était déjà très grand pour son âge. Il aurait bien voulu se battre avec Avram et mon père, mais il lui fallait attendre qu'il ait un peu plus de moustache. Sa voix n'était pourtant plus la même depuis quelques mois : elle avait des sautes bizarres et devenait plus sonore, plus grave; il ne pouvait plus chanter la chanson de la tortue, car les notes en étaient à présent trop hautes pour lui. Il devenait un homme et je ne l'en aimais que davantage.

— Ils sont cantonnés dans la forêt, me dit-il, aussi on ne peut savoir ce qu'ils préparent et vers quel village ils vont galoper.

Ma voix devait trembler lorsque je lui demandai s'il croyait qu'ils allaient venir chez nous. Il ne me répondit pas et je compris qu'il pensait que cela était possible.

56

Malgré le soleil qui était revenu, malgré les chants des paysans au retour du travail, une ombre semblait avoir descendu sur notre maison. Quelquefois, le soir, très tard, des amis de mon père venaient frapper à notre porte. On m'obligeait alors, quelle que soit l'heure, à regagner ma chambre. Je protestais violemment, mais Avram et les autres n'étaient plus les êtres débonnaires d'autrefois. Je savais que ces visiteurs étaient des messagers de mauvaises nouvelles et que dès mon départ les récits commenceraient.

Des années plus tard, ma mère m'a avoué qu'elle aurait préféré ne pas les entendre et qu'elle m'enviait de dormir là-haut, dans l'ignorance de ce qui se passait dans le pays. L'escadron surgissait, au moment où l'on s'y attendait le moins, et c'était une ruée de bottes, de portes enfoncées à coups de talon, de lances, et la maison était mise à sac. Un de mes cousins avait sauté du haut du toit de sa datcha pour échapper aux cosaques et s'était fracturé une jambe sur les pavés de la cour; les cavaliers l'avaient attaché par un poignet à l'étrier de l'un de leurs chevaux et avaient cravaché la bête. Heureusement, la corde s'était rompue et le malheureux avait pu se traîner dans un fourré et échapper à ses tourmenteurs. Ma mère en frissonnait encore.

Un matin, je m'éveillai, sautai du lit et descendis à toute allure dans la cuisine, où mon déjeuner devait être prêt. Mon frère Max jouait de l'accordéon dans le salon et je m'arrêtai quelques instants pour l'écouter. Il était un vrai virtuose et

57

lorsqu'il se lançait dans un de ses casatchok favoris, on ne voyait plus ses doigts courir sur les
touches. Il avait eu encore plus de mal que moi à
apprendre des rudiments de solfège, mais il possédait une oreille et un doigté invraisemblables.

Je me tenais debout, au milieu du salon, pour
l'écouter, et machinalement mes yeux se portèrent
au-dessus de la cheminée.

Je restai pantoise.

Au-dessus des vieux chandeliers, des pots
d'étain et des vieilles statuettes en bois dues au
couteau de mon frère Yanni, s'élevait un gigantesque crucifix.

Je ne l'avais jamais vu.

Je m'approchai et contemplai de plus près le
visage aux yeux blancs, les côtes apparentes et les
clous qui s'enfonçaient dans chacune des paumes
et sur les pieds superposés. C'était une sculpture
simpliste, grossièrement peinte. Jésus avait une
barbe noire comme du charbon et l'artiste avait
tenu à colorer les joues de deux cercles rouges
comme s'en mettent les femmes de la ruelle
Nevski devant lesquelles ma mère accélère toujours en me tirant par le bras.

Je remarquai alors qu'il y avait eu d'autres
changements dans la pièce. Au-dessus des portes
se trouvaient à présent des images que je n'avais
également jamais vues. Elles représentaient le
même Jésus, entouré de barbus farouches, assis
sur un petit âne gris; on voyait aussi souvent une
dame très belle dans une longue robe bleue qui
avait toujours l'air très triste et levait les yeux

vers le ciel avec sur ses lèvres rouges le même soupir retenu.

Je les admirai un moment et courus vers la cuisine.

Je m'arrêtai pile sur le seuil.

Comme au matin de nos plus grandes fêtes, la table disparaissait sous les plats. Jamais je n'avais vu autant de victuailles assemblées. Devant les fourneaux où cuisaient les ragoûts dans des marmites profondes, Marthe s'épongeait le front. Comme j'ouvrais la bouche pour lui demander la raison de tout cela, ma mère et trois de mes frères entrèrent en trombe, les bras chargés de pots de caviar, de gros pains épais, de bocaux de crème aigre, de mottes de beurre, de sacs d'orge et déposèrent le tout dans tous les coins. Boris apparut, un panier d'œufs dans chaque main. Je reculai pour le laisser passer. Tous s'affairaient, ressortaient. Mon père arriva, croulant sous des salades; on eût dit une montagne de verdure envahissant la maison, la meublant d'une odeur de feuilles et d'herbe mouillée.

Je me jetai vers lui, zigzaguant entre les bouteilles, les pommes de terre. Dans un coin, Alexis astiquait les samovars en frottant comme un forcené.

Père déposa son vert fardeau et me souleva de terre.

La tête me tournait : le crucifix, les gravures, ces préparatifs, cette agitation, l'accordéon dont les notes s'accéléraient toujours, je ne savais plus quelle question poser. Avant qu'il ne me repose sur le sol, j'arrivai à proférer :

— Qu'est-ce qui se passe ?

Il eut un regard bizarre vers Avram qui montait des blancs en neige, fouettant à tour de bras la mousse immaculée.

— On a des invités, jeta-t-il. Mets ta belle robe, Anna, et sors ton violon.

Je poussai un cri de guerre, happai au vol la tartine de confiture de mûres que me tendait Marthe et filai comme une flèche à travers la maison, ivre de joie. Une fête, enfin ! Comme la dernière était lointaine ! Avec tous ces événements, nous n'en avions plus fait depuis une éternité.

Je m'habillai à la hâte, défis ma natte et, après trois coups de brosse, attachai mes cheveux d'un gros ruban qui, je m'en souviens, glissait toujours. Les volants de ma robe tourbillonnaient autour de moi et, seule devant la cage de Popkei, je me mis à jouer d'affilée les quatre airs que je possédais le mieux, battant du pied pour garder la mesure.

Ma mère entra.

Son air grave me surprit, car elle riait facilement et je ne concevais pas que dans cette atmosphère joyeuse elle n'eût pas ce sourire spécial qu'elle arborait pour les événements de ce genre.

Elle s'agenouilla devant moi et me prit les mains.

— Anna, dit-elle, sais-tu quels sont nos invités ?

Je n'en avais aucune idée et m'en moquais éperdument. Souvent des gens étaient venus, des parents lointains, des amis, des parents d'amis, des amis de parents. Cela n'avait aucune importance, ils débarquaient subitement venus de l'Est, ou du Nord, de Russie, de Hongrie, d'Allemagne, de Pologne ; ils se jetaient dans nos bras, ouvraient des valises bourrées de cadeaux, et c'était pour la nuit la grande danse des rires, des larmes, de la vodka et des violons.

— Je ne sais pas.

Les mains de ma mère se refermèrent sur mes joues et elle approcha son visage du mien. Je vis ses yeux grossir en même temps que son parfum devenait plus perceptible. Elle ouvrit la bouche et resta pourtant un long moment silencieuse, comme si les mots n'arrivaient pas à franchir un barrage invisible.

Etonnée, je la questionnai comme pour hâter sa réponse :

— Qui sont-ils, maman ?

Ses mains retombèrent. Elle se leva, prit mon violon que j'avais abandonné dans un coin et vint vers moi.

Elle sourit, me le tendit et dit :

— Les cosaques.

C'était Pavel qui nous avait prévenus. Les cavaliers l'avaient tiré du lit très tard dans la nuit et il avait dû rallumer sa forge pour ferrer le cheval du capitaine. Tandis qu'il enfonçait les clous dans la corne, il avait entendu parler les hommes :

demain, avaient-ils dit, ce serait le tour des Boronsky.

Je revois chaque détail de cette matinée.

La table croule sous les plateaux de zakouskis. Nous sommes tous autour de la table. Mon père occupe la place du maître. Il siège dans le grand fauteuil et sa barbe peignée brille dans les rayons de soleil qui coulent de la fenêtre.

Nous ne disons rien. Une mouche bleutée s'est posée sur la nappe, presque devant mes yeux; on dirait un petit bloc d'améthyste aux ailes vibrantes. Je la regarde : elle frotte ses pattes filiformes d'un geste répétitif qui me fascine, elle semble satisfaite comme mon cousin Anton après qu'il a réalisé une bonne affaire.

Soudain, la main de Boris est près de moi, descend, et je le vois qui serre l'archet du violon. Il a entendu quelque chose. Les sourcils d'Avram se sont froncés. C'est à mon tour d'entendre. Ils viennent par le chemin de terre pour éviter la place : les fers des chevaux frappent la terre sèche.

Marko Boronsky tend brusquement la main et s'empare d'une bouteille de vodka, qu'il débouche d'un tour de poignet.

Le cœur battant, je saute sur mes pieds.

Dans les doigts de mes frères les archets brillent et le vernis des violons éclate dans la lumière. Mon père lève la bouteille au ciel et, d'un large mouvement de maestro, déchaîne l'orchestre.

Je tourne à toute allure, bras écartés, je danse comme jamais encore je ne l'ai fait, à en perdre le souffle — dans deux minutes je serai peut-être

62

morte. Je n'ai pas de temps à perdre à avoir peur. Il faut danser, rire, jusqu'à en tomber par terre, ivre de musique et de fatigue. Ils sont à la porte, ébahis. Mon père étend de nouveau le bras et, avec une majesté sans égale, apaise la furie des musiciens. Je m'arrête, un pied en l'air. Le capitaine s'est avancé d'un pas dans la pièce. Il a des cheveux très noirs, huileux, qu'il doit friser chaque soir avec des fers chauds. Il a en travers de la poitrine un long poignard courbe au fourreau damasquiné. Un fouet est attaché à son poignet par une courroie et la pointe de la mèche traîne sur le tapis.

Ils sont au moins quatre dans le couloir, on devine leur masse confuse et surprise. Mon père s'est levé, gigantesque. Au-dessus de sa tête chevelue, le crucifix couvre le mur de sa masse imposante.

Marko s'incline, imité par ses fils.

— Bienvenue à vous, capitaine.

J'esquisse une révérence tandis que j'ai l'impression que les visiteurs doivent entendre mon cœur battre dans ma poitrine. On doit l'entendre dans tout le village, dans toute la Russie, jusqu'à Saint-Pétersbourg.

Le cosaque serre machinalement la main que mon père lui tend chaleureusement et louche sur les bouteilles de vodka et les montagnes de zakouskis.

La voix de basse de Marko retentit :

— Joignez-vous à nous, capitaine, ainsi que vos soldats, qui semblent ne pas oser poser le pied sur ce tapis. Il y a de quoi boire et manger pour tout le monde. Après tout, c'est aujourd'hui la fête pour tous les chrétiens de la terre.

Il brandit son index et désigne le Christ.

— Pâques, rugit-il. Gloire à Dieu au plus haut des cieux !

Le capitaine se voûte légèrement et triture une moustache aux pointes acérées. Son œil hésite, s'attarde sur la table. Il avale avec peine un flot intempestif de salive et demande d'une voix curieusement fluette :

— Vous n'êtes pas juifs ?

Les murs tremblent sous les rires des hommes de ma famille.

— Juifs, nous ! C'est la meilleure de l'année !

Le bras puissant de mon père entoure les épaules minces du cosaque.

— On vous a bien mal renseigné, capitaine, quelqu'un a voulu nous jouer un vilain tour ; mais, qu'à cela ne tienne, vous ne serez pas venus pour rien.

Entraînés, poussés vers des chaises, les cinq cosaques n'ont pas su réagir : ils boivent déjà la vodka glacée, tandis que dans leurs assiettes s'amoncellent les concombres et les œufs d'esturgeon. Empêtrés entre leurs fouets, leurs casaques, leurs bonnets de fourrure qu'ils ont joliment ôtés en entrant, leurs longs sabres à la poignée courte et leurs gants de cuir brut, ils s'empiffrent, éberlués, intimidés devant ma mère qui leur tend des tasses de thé brûlant et des tartines de confiture de groseilles à maquereaux.

A l'autre bout de la table, mon père crie pour couvrir le bruit des fourchettes et des mandibules :

— Attention, les enfants, prêts pour le casatchok, en l'honneur de nos glorieux visiteurs.

Avram, Max, Yanni, Isaac brandissent leurs instruments. J'ai pris aussi mon violon et un gros lieutenant aux cheveux blonds, le visage déjà violacé, me sourit avec une telle bonté que j'ai peine à croire que je serais embrochée au bout de son sabre s'il savait quelle est ma religion.

Nous jouons comme des fous. Les semelles battent le plancher de plus en plus fort. La vodka coule, un verre s'est brisé, déjà jeté par-dessus une épaule; un autre suit, un autre encore. Les cosaques frappent dans leurs mains en mesure de plus en plus rapide; je m'élance, jouant et dansant à la fois; mes cheveux se répandent. Le capitaine, la moustache en bataille, frappe de son sabre sur la table, faisant trembler les cristaux. Marthe, souriante, apporte de nouveaux gâteaux.

Les hommes ont débouclé ceinturons et ceintures. Les doigts de Max volent sur son accordéon. Je danse toujours, je suis heureuse, je ne mourrai pas encore aujourd'hui, je pourrai courir encore dans la grande forêt, dans les champs, je pourrai aller à la ville, jouer dans les grandes brasseries de Saint-Pétersbourg. Là, je rencontrerai un jeune homme très grand et très fort. Comme mon père, il sera musicien, et il m'aimera. Nous jouerons des nuits entières devant des foules délirantes, avant de partir dans notre hôtel, en traîneau à travers les nuits blanches de neige et de diamants d'étoiles...

Je ne suis plus seule à danser. Un des lieutenants s'est levé et saute en l'air comme une grenouille, sans arrêt. Je vois la sueur ruisseler le long de ses oreilles et de ses joues tandis qu'il s'élance pour retomber et s'élance encore...

Je m'assois d'un coup, épuisée, la tête sonore du gémissement des cordes contre mon oreille gauche. Tout oscille encore autour de moi, mais, lorsque le monde conquiert de nouveau son équilibre, je peux contempler le spectacle.

Le cosaque au bon sourire mange dans trois assiettes à la fois de trois plats différents et s'abreuve à intervalles réguliers de vodka. Un autre tète une bouteille dont le liquide descend le long de sa glotte agitée de soubresauts. Le troisième danse toujours, pris de frénésie. Le capitaine s'efforce de raconter à mon père une histoire sans doute compliquée, car il louche effroyablement sous l'effort qui lui est nécessaire pour rassembler ses idées. Le cinquième dort.

Ils partirent avec le jour.

Le soir tombait lorsque, avec l'aide d'Avram et de mes autres frères, ils remontèrent en selle. Le plus grand, celui qui avait dansé, tomba quatre fois, avant de s'endormir, la tête sur l'encolure de son cheval, les étriers libres.

Le capitaine, son bonnet de travers, parvint à garder un équilibre périlleux en se cramponnant à la crinière.

Le cosaque au bon sourire, qui était celui qui

tenait le mieux l'alcool, coucha ses deux compères en travers de la selle, où ils restèrent pliés en deux comme des cadavres, pieds d'un côté, tête de l'autre.

Cela faisait sept heures que la fête durait. Ils n'avaient pratiquement pas arrêté de boire pendant tout ce temps.

Accoudé au chambranle de la porte, mon père les regarda partir en direction du couchant, silhouettes noires et vacillantes sur l'orange du ciel.

Il s'essuya le front et nous nous regardâmes en silence. Avram s'assit en soupirant sur les marches du perron et massa ses poignets endoloris : il jouait du violon depuis leur arrivée.

— Au fond, murmura Boris, ils sont presque sympathiques.

Mon père eut un rire triste tandis qu'il suivait toujours de l'œil le lamentable équipage.

— C'est vrai, dit-il, et pourtant ce sont les mêmes qui demain brûleront les maisons de nos frères.

Il sembla prendre conscience de ma présence toute proche et posa sa main sur ma tête tandis que je levais mon visage vers lui.

— Comment expliques-tu cela, toi, Anna ?

Je me laissai aller contre lui et sentis que, tant qu'il serait là, rien ne pourrait m'arriver jamais.

CHAPITRE VI

Ils ne partaient toujours pas.

Ils n'étaient plus revenus chez nous depuis la fête de Pâques, mais, à la maison, le crucifix et les images étaient encore là, aux murs de la salle.

L'été fut chaud et les blés devinrent roux. Le soir, quelques-uns de mes frères et moi allions retrouver des enfants de paysans en bordure des campements et nous faisions de la musique. Je jouais de mieux en mieux, sans que je m'en sois aperçue. J'étais devenue capable de jouer n'importe quoi. Max préludait avec une flûte qu'il avait dénichée dans le grenier et les violons suivaient. J'avais à cette époque deux spécialités : un air bizarre et entraînant sur un rythme « asark », c'est-à-dire boiteux, à neuf temps, qui essoufflait les danseurs et qui nous brisait le poignet qui tenait l'archet, mais ce que l'on me demandait le plus souvent à la fin de ces longues soirées, c'était une doüra, une mélodie lancinante et désespérée. Je savais très bien faire pleurer mon violon et mes notes sanglotaient jusqu'au lointain horizon des plaines. Je joue encore quelquefois cet air et, dès la première mesure, je sens l'odeur de paille sèche et de vent pur, je revois les braises mourantes du feu et les visages sombres des paysans qui m'entouraient. Certains dormaient déjà, épuisés par les travaux de la journée, les autres écoutaient la chanson plaintive venue des régions danubiennes qui bordent la Yougoslavie et la Bulgarie.

Pour secouer la mélancolie, Yanni exécutait la danse de la ceinture : seuls les garçons la dansaient en se tenant par la taille et s'accroupissaient brusquement avec des cris stridents. Nous revenions très tard à la maison et maman nous grondait invariablement.

La vie était douce; enfin, elle l'était redevenue et j'avais à présent un ami qui ne me ferait jamais défaut : mon violon.

J'avais découvert cette chose que les musiciens connaissent bien : lorsque l'on sait se servir d'un instrument, même s'il est aussi simple qu'un tube de bambou, on n'est plus jamais seul.

C'est étrange, d'ailleurs, de penser comme les pauvres gens étaient musiciens en ce temps-là : les ouvriers agricoles itinérants qui se déplaçaient à travers toute l'Europe centrale, de la lointaine Valachie jusque dans nos régions, presque tous sortaient de sous leurs haillons des flûtes minuscules, grandes comme des cigarettes, des guitares naines à deux cordes, des ocarinas de terre cuite, des sifflets taillés dans des écorces, jusqu'à des plumes de canard sauvage dont ils savaient tirer tout un ensemble de sons.

Ce sont eux, ces éternels voyageurs, qui ont été mes maîtres. Je les écoutais, essayant de les accompagner. L'un d'eux, un grand vieillard taciturne à qui il manquait trois doigts de la main droite et dont les cheveux blancs croulaient sur les épaules, jouait du tarayot, une sorte de fifre turc grand comme l'un de nos modernes saxophones et dont il tirait des sonorités de hautbois qui nous arrachaient des larmes. Il revenait chaque année vers les premiers jours de décembre. Il a dû mourir dans l'une de ces plaines du bas de l'Europe qu'il n'a jamais cessé de parcourir. Il reste pour moi le plus grand virtuose qu'il me fut donné d'entendre.

L'été passa sans encombre. Aux premières pluies d'octobre, nous allâmes comme chaque année ramasser les escargots dans la forêt. Il y en avait des millions, nous rentrions courbés sous le poids des sacs, les bras rompus par les anses des paniers. Lorsque nous entrions dans le village, cela sentait la confiture. Marthe, ruisselante de sueur, versait les fruits dans de gigantesques marmites sous lesquelles Avram empilait des bûches.

J'aimais cette époque de l'année. Deux ans auparavant, j'avais mangé avec la grande cuiller de bois de la confiture chaude, ce qui m'avait valu d'être malade durant deux nuits entières... Mais j'aimais toutes les saisons. Je jouais souvent avec mes frères à présent. J'étais totalement intégrée à l'orchestre familial.

Les raids des cosaques semblaient avoir cessé et je pensais que la vie était repartie sur ses rails. Je surprenais bien parfois des bribes de conversation entre mon père, des amis ou des inconnus et je me rendais compte alors que tout n'allait pas aussi bien, ailleurs, que dans notre maison.

Dans les villes, à Moscou même, des choses se passaient, terrifiantes. J'entendis un soir un homme dire que le tsar allait partir, que des gens voulaient prendre sa place.

Cela me parut monstrueux et j'eus une violente discussion avec Boris, qui se révéla être un de ces terribles rouges dont les paysans chuchotaient le nom avec terreur. Je m'exclamai :

— Tu ne sais donc pas qu'ils tuent les enfants !

Il me dit alors que cela était faux et que, de toute façon, ce ne serait pas pire que les cosaques et que ce n'était pas les bolcheviks qui avaient inventé les pogroms.

Nous finîmes par nous battre comme des chiffonniers. Je lui expédiai quelques gifles sonores, son poing dans l'estomac me coupa le souffle et je pleurai longuement sur son épaule tandis qu'il me caressait les cheveux en s'excusant.

Avant de nous coucher, il me dit une chose surprenante :

— Anna, on ne peut plus se battre maintenant, on est trop grands.

Je le regardai, stupéfaite. Sa voix n'avait plus les sautes surprenantes d'autrefois dont je me moquais, ses épaules étaient larges et il ne restait plus grand-chose dans son visage de l'enfant qu'il avait été.

Mais moi ?

Moi aussi, je vieillissais donc? Ce soir-là, dans ma chambre, je me regardai, mais je n'arrivai pas à décider encore si j'étais ou non une jeune fille.

Un peu avant la Noël, une des nièces de Marthe se maria. Elle habitait un hameau à quelques verstes d'Elizabethgrad. Nous la connaissions un peu, car elle était venue quelquefois aider sa tante lorsque nous donnions des réceptions. Elle s'appelait Natacha. C'était une jeune fille très douce, timide même. Elle avait joué avec moi un long après-midi et nous avions beaucoup ri ensemble lorsque sa réserve avait disparu. J'avais envié sa taille élancée et la finesse de ses attaches. J'avais souvent demandé à Marthe qu'elle lui propose de revenir, mais Natacha avait beaucoup à faire pour tenir la ferme dans laquelle elle vivait avec son père et ses deux sœurs, sa mère étant morte alors qu'elle avait treize ans.

Depuis ce jour de tragédie, elle s'était occupée de tout. Marthe me parlait quelquefois d'elle et je l'admirais beaucoup.

Marthe partit donc avec sa robe de fête soigneusement pliée sous son bras et je lui criai par la fenêtre de souhaiter tout le bonheur possible à Natacha. Deux jours se passèrent et, le vendredi, un cavalier que nous ne connaissions pas s'arrêta devant notre porte.

Je sais très bien comment j'appris ce qui s'était passé. Au début, des morceaux de phrases saisis au vol se juxtaposèrent peu à peu. J'arrivai à extorquer des renseignements à Boris en le poursuivant sans trêve. On me rembarrait, mais je m'accrochais et ne m'avouais jamais vaincue. Pourtant, je ne comprenais pas encore ce qui avait eu lieu lors du mariage de Natacha. L'angoisse m'étreignait, car, depuis l'arrivée du cavalier inconnu, mon père, Avram et Max n'avaient plus reparu et cela faisait quatre jours.

Ces journées furent interminables. Le cavalier, qui était reparti avec eux, avait laissé son cheval. C'était une bête splendide et je lui faisais faire un tour de promenade pour qu'il ne devienne pas furieux. Je lui avais enlevé son harnachement, une splendide selle zaporogue avec des incrustations d'argent et des étriers ciselés. Je l'avais brossé et il fourrait sa tête sous mon bras pour trouver le sucre dans la poche de ma robe dès que j'apparaissais. Le quatrième jour, je m'enhardis. J'arrivai à l'écurie avec le tabouret de piano; je pus ainsi grimper sur le dos de l'animal, et les doigts dans sa crinière, jouant des talons et des genoux, je parvins à le faire sortir du bâtiment et à gagner l'orée du village.

Au milieu des champs, l'immensité de l'espace parut l'enivrer d'un coup, car, avec un hennissement qui m'écorcha les oreilles, il s'élança au triple galop, décidé à traverser la plaine ukrainienne comme une balle de fusil. Cramponnée, mes bras autour de l'encolure frémissante, collée au corps dont je sentais le jeu régulier des muscles en action, je fermais les yeux, terrifiée et enivrée par la rapidité de la course, du vent dans mes cheveux, persuadée qu'à la vitesse où nous galopions nous serions ce soir à l'extrémité opposée de la Sainte Russie, sur l'autre versant du monde.

Déjà des crampes tordaient mes bras, lorsque je sentis la bête ralentir et s'arrêter enfin, à la lisière d'un champ de seigle, l'haleine blanche jaillissant des naseaux. Je me redressais, tout endolorie, lorsque, à ma stupéfaction, je m'entendis appeler.

Derrière les restes d'une vieille charrette en ruine, un homme venait d'apparaître. Appuyé contre l'une des roues démantibulées, il me faisait signe d'approcher. Je distinguais mal, car il se trouvait en contre-jour, mais j'en vis suffisamment pour reconnaître mon frère Max.

Avec un cri, je glissai de ma monture, trébuchai sur le sol et courus à travers la terre défoncée où mes bottines se tordaient.

Je me jetai dans ses bras et tout de suite je vis les deux autres.

Père était là aussi, accroupi contre le timon brisé. Sur ses genoux reposait la tête pâle d'Avram.

Il me sourit et je vis tout de suite que ses lèvres n'avaient plus la même couleur qu'à l'ordinaire.

Elles étaient presque aussi pâles que ses joues ou que son front et, si ce n'avait été le léger relief qu'elles formaient, on aurait pu croire qu'elles avaient disparu. Je m'arrachai des bras de Max et me jetai à genoux. Les larmes noyaient mes yeux, je ne pouvais prononcer une parole. La main blanche d'Avram se posa sur ma tête et je m'effondrai en sanglotant sur la poitrine de mon frère, les narines emplies d'une terrible odeur de cuir, de terre et de fourrure.

— Oh! Avram, Avram, Avram...

Que lui était-il arrivé pour qu'il soit si pâle, pour que soudain ses orbites soient si creuses?...

Père m'écarta avec douceur et nous rentrâmes lentement à la maison, Avram s'appuyant lourdement pour marcher sur les épaules robustes de ses compagnons.

Le docteur vint et resta très tard dans la chambre d'Avram. J'entendais la porte s'ouvrir et se refermer sans cesse. Il se produisit alors un de ces étranges phénomènes que le hasard nous réserve : au moment où le docteur Serpaïev extrayait la balle qui avait perforé le poumon gauche de mon frère et où Marko Boronsky, mon père, étanchait avec des draps déchirés le sang qui jaillissait de la blessure de son fils, j'eus mes règles pour la première fois.

J'étais devenue une femme, un soir où il semblait que le sang des Boronsky ne pouvait rester dans leurs veines. Cela me troubla longtemps. Il me semblait que la balle qui avait atteint Avram m'avait blessée à mon tour et je rêvais souvent au cosaque inconnu qui chaque mois me faisait saigner.

En tout cas, cet accident biologique eut une conséquence imprévue : on ne me cacha plus rien. J'étais une femme, je devais savoir ce qui se passait et ce qui s'était passé.

Des espions s'étaient rendus au camp des cosaques et les avaient prévenus du mariage de Natacha. Avant que l'aube du jour fixé pour les noces ne soit levée, une dizaine de soldats cernèrent la maison et enlevèrent la fiancée.

Les parents, les amis se précipitèrent pour demander de l'aide et l'on vint chercher mon père et mes deux frères.

Lorsqu'ils arrivèrent, après une journée de galop, une chose terrible venait de se produire. Natacha était revenue six heures après son enlèvement.

Elle avait traversé sans un mot la grande pièce du bas où les femmes étaient réunies et était montée dans sa chambre, dont elle avait fermé la porte.

Lorsque le père et le fiancé de Natacha l'eurent enfoncée à coups d'épaule, il était déjà trop tard, Natacha s'était pendue.

Je découvris ainsi ce que signifiait le mot « violer ». Je l'ai toujours associé au visage doux et souriant de mon amie d'un après-midi, Natacha Féodorovna Zerguine, et à ces cavaliers terribles aux poitrines barrées de longs poignards et de pistolets. Je m'enfonçais la tête sous l'oreiller pour ne plus imaginer, pour ne plus voir ce qui s'était passé entre ces cosaques et la jeune fille durant toute cette matinée de soleil froid.

Mon père s'était incliné devant le cadavre de Natacha, puis, sans avoir à demander la moindre aide, il s'était trouvé à la tête d'une vingtaine d'hommes décidés à retrouver les assassins.

Ce ne fut pas très long : deux jours exactement.

Ils tendirent une embuscade et tuèrent les trois premiers cosaques à coups de carabine.

Les autres s'enfuirent à pied, abandonnant les chevaux, qui ne leur étaient d'aucune utilité dans le sous-bois.

Il y eut une course rapide. L'un d'eux s'arrêta, un pistolet dans chaque main, et cassa la tête de l'un d'entre nous. Max coupa la main du cosaque d'un revers de sabre et le père de Natacha le cloua contre le tronc d'un coup d'épieu, comme on le fait pour les sangliers sauvages.

Les autres furent abattus également, débarrassés de leurs habits et enfouis dans la neige déjà profonde. On ne découvrirait ainsi leurs corps qu'au printemps, lors des premières journées de dégel. D'ici là, les corps passeraient le long hiver russe enfouis, au cœur des bois, sous l'épaisse couche blanche qui les protégerait des loups et des bêtes de la forêt.

Sur l'un des cosaques, Avram découvrit le ruban qui retenait les cheveux de Natacha. Il était noué à la ceinture de cuir cloutée où pendait le fourreau du sabre. Avram le rendit sans un mot au père de la jeune fille.

La petite troupe se sépara. La plupart des hommes retournèrent dans les fermes, attendant la nuit pour quitter le bois. Mon père, Avram et Max remontèrent en direction du nord pour brouiller les pistes. La forêt était dense et il était assez facile de s'y cacher, mais ils avaient contre eux quelque chose à quoi aucun d'eux n'avait pensé :

l'extraordinaire acoustique de la campagne enneigée.

Souvent, en poursuivant mon chien ou en jouant avec mes frères, je m'étais arrêtée sous la voûte grise des branches entremêlées, enfoncée dans la neige jusqu'aux mollets; je ne percevais que le seul gong de mon cœur dans ma poitrine; le silence était si total que je pouvais percevoir le bruit d'un écureuil cassant une noisette à l'autre extrémité de la forêt.

Le moindre froissement de feuilles éclatait comme un tonnerre proche et je savais que le plus infime des raclements de gorge dévoilerait ma présence.

Max me raconta que ce fut sans doute le heurt d'une crosse de fusil contre un tronc d'arbre qui alerta un détachement de soldats en patrouille dans la forêt.

Ils virent les hommes passer à quelques mètres d'eux, les chevaux enfonçant parfois jusqu'au poitrail dans la poudre blanche. Les cosaques tenaient leurs lances droites pointées vers le ciel et Max avouait à ce moment de son récit qu'il avait eu très peur. La patrouille s'éloigna, mais Marko et ses fils savaient que le péril n'était pas disparu pour autant : ces brutes n'ignoraient pas qu'ils étaient là et n'auraient de cesse de les retrouver.

Il fallait fuir à nouveau mais surtout ne pas laisser de trace. Cela n'est pas facile lorsque l'on marche dans la neige fraîchement tombée, la neige dont l'épaisseur par endroits atteint plus

78

d'un mètre. A chaque pas, leurs bottes s'enfonçaient et laissaient d'énormes empreintes que des
avalanches minuscules transformaient en cuvettes
ovales.

Il était évident que si les cosaques repéraient
une seule de ces cuvettes, ils étaient pris. Ce fut
mon père qui trouva la solution.

Il changea brusquement de direction et partit
vers le détachement des cavaliers. Max m'avoua
avoir eu le sentiment subit que son père devenait
fou et voulait livrer un combat désespéré avant de
mourir. Il eut une telle envie de savoir pourquoi
ils marchaient à présent vers l'est qu'il serra les
mâchoires sur la fourrure de sa pelisse, s'étouf-
fant dans les poils afin de respecter le serment
qu'ils avaient fait de ne pas prononcer un seul
mot avant d'être sortis d'affaire.

Ils se mirent à courir, leur haleine blanche
s'évanouissant de plus en plus vite dans l'air froid.
Tout à coup, Max comprit la raison du changement de direction. Devant eux, par l'échancrure
d'un vallonnement, ils virent la rivière. C'était la
Vorskla. Elle courait rapide dans le sous-bois, descendant des collines au nord de Bielgorod et serpentant à travers la terre verte avant d'atteindre
le Dniepr et de se jeter, après la région des grands
lacs, dans l'immense mer Noire.

Comme ils fixaient le flot gris et lourd qui dessi-
nait une ligne sombre sur le paysage immaculé, ils
entendirent un hennissement de cheval et détalè-
rent vers la Vorskla. Les bords en étaient déjà
pris par les glaces. Mon père glissa sur un bloc. Il

se donna une légère entorse, mais cela ne ralentit pas son élan.

L'eau glaciale leur arriva à mi-cuisse et leur coupa le souffle, mais ils ne pouvaient plus reculer. En se retournant, Max pouvait voir briller les pointes des lances tout là-haut entre les arbres.

Il y avait un grand espace à découvert à parcourir, après l'eau serpentant entre des berges touffues et abruptes. Mon père s'élança, soulevant des gerbes d'eau, écrasant la glace sous son poids.

— Dans deux minutes, nous sommes sauvés, mugit-il.

Mes frères le suivirent en courant. La Vorskla n'est pas une rivière profonde. Sableuse, elle ne déborde qu'au printemps. Alors, elle vient ajouter sa musique au gigantesque orchestre symphonique qu'offrent en cette saison les affluents du grand fleuve Dniepr, de Riga jusqu'à Dniepropetrovsk.

Ils disparurent sans encombre sous les arbres. S'enfonçant parfois jusqu'au ventre dans l'eau sombre et glacée, ils parcoururent un grand nombre de kilomètres.

Ils ne purent, cette nuit-là, faire du feu et coururent pieds nus après avoir violemment frotté leurs orteils avec de la neige tassée.

Ils espéraient avoir semé leurs poursuivants. Ils se concertèrent sur la conduite à tenir. Max pensait suivre les berges, dépasser les confluents du Psel et de la Soula et atteindre Tcherkassy. Là, ils pourraient piquer plein sud, dans un terrain qui leur était familier.

Mon père et Avram furent d'un avis différent : remonter jusqu'à Poltava, acheter des chevaux et redescendre par les routes enneigées comme trois bons et respectables commerçants.

Max se rangea facilement à leur avis. Ils firent un repas de biscuits salés et de neige fondue. Ils grelottaient au cœur de l'immense hiver ukrainien.

Ils avançaient dans un paysage désolé, dans un univers sans couleur où ne régnaient que le blanc, le gris et le noir.

Ils ne se dirent pas grand-chose pendant ce voyage. Le souvenir de Natacha était toujours présent en eux et pesait sur leur cœur. Et puis ils ne pouvaient savoir dans cette solitude si, oui ou non, la poursuite avait cessé.

Après deux jours de marche, le cuir des bottes s'était durci à tel point qu'ils ne pouvaient plus plier leurs chevilles et ils avançaient comme des ours, les jambes raides, les cuisses douloureuses. Le soir, ils virent à travers les troncs nus des arbres des lueurs ternes comme des vers luisants briller entre les branches.

C'étaient les lumières de Poltava.

Avram se dressa sur ses jambes et regarda la ville qui s'étalait en contrebas. Il sursauta soudain, tourna et se retourna.

Là-haut, sur la crête lointaine, il y avait un flocon de fumée qui montait et disparaissait dans l'air pur.

Avram se contorsionna pour porter la main à son omoplate et la retira plein de sang. Ce ne fut qu'à cet instant qu'il entendit, étouffé par la distance, le bruit de la détonation.

Aucun des deux autres ne s'en était aperçu. Ne voulant pas les inquiéter, il ne leur dit rien.

Ils descendirent sur Poltava et se réfugièrent dans une auberge sûre, dans le quartier juif. Ils réchauffèrent leurs pieds à un brasero, burent un litre et demi de vodka en mangeant des boulettes de bœuf en sauce et ce n'est qu'en se baissant pour ramasser ses bottes racornies par la chaleur qu'Avram ressentit un élancement douloureux.

— Au fait, dit-il, les cosaques m'ont fait un cadeau, je l'avais complètement oublié.

Il écarta sa blouse et montra à ses compagnons son dos musculeux : le sang comprimé par la chemise avait formé une croûte.

Marko et Max s'étaient arrêtés de boire.

L'aubergiste, qui était un peu chirurgien, coucha Avram à plat ventre sur le banc de bois et lava la plaie avec un verre d'eau-de-vie.

Il regarda la fine déchirure triangulaire et se pencha vers le blessé.

— T'as pas un autre trou par-devant ? demanda-t-il.

Avram se souleva, inspecta son torse poilu et hocha la tête.

— Non, dit-il.

L'aubergiste alluma sa pipe, exhala deux bouffées et conclut avec satisfaction :

— Alors, c'est que la balle est toujours dedans.

— Et alors, dit Avram, qu'est-ce que tu attends pour l'enlever ?

Mon père avait beaucoup bu ce soir-là, mais pas suffisamment pour permettre au brave homme de farfouiller, avec une paire de ciseaux qu'il venait de saisir, dans le dos de son fils.

— On va dormir, dit-il; demain nous rentrons à la maison et on te soignera.

Avram dormit mal. Il se mit à tousser et, à partir de son réveil, une mousse ininterrompue filtra entre ses lèvres.

Le voyage fut un martyre. A chaque cahot, la douleur était plus grande, plus intense. Malgré le froid et le vent qui s'était mis à souffler, venant des steppes proches, la sueur coulait sur le front de mon frère aîné. Ils avaient galopé sans prendre de repos, changeant trois fois de chevaux, et avaient décidé par précaution de rentrer à pied à la maison durant la nuit. Ma venue intempestive avait bouleversé ce dernier plan.

Lorsque j'entrai en tremblant dans la chambre de mon grand frère, il était assis sur son lit et souriait; ses lèvres avaient presque retrouvé leur couleur d'autrefois.

Je fus follement heureuse. Je contemplai le cylindre de cuivre aplati qui avait été déposé sur le marbre de la table de nuit.

C'est le brave Serpaïev qui avait réussi à le sortir du thorax de mon frère.

— Si tu es sage, Anna, dit mon père, je t'en ferai faire une bague.

Je protestai avec véhémence et, une fois qu'ils furent tous partis, je proposai à Avram de lui lire quelque chose. J'ignorais alors que je mettais le doigt dans un engrenage qui allait durer toute une longue année.

Pendant quatre mois, à raison de deux heures par jour, j'allais lire à haute voix l'essentiel de la littérature russe, des origines jusqu'à nos jours.

C'est à la traîtrise d'une balle cosaque que je dois peut-être de n'être pas restée une jeune fille tout à fait inculte, c'est grâce à la blessure d'Avram que je dois de connaître Pouchkine, Dostoïevski et Anton Tchekhov.

CHAPITRE VII

La situation devenait intenable. Les voyageurs qui s'arrêtaient à notre table nous donnaient des nouvelles que les gazettes impériales nous cachaient.

Les villes flambaient. Il semblait que l'heure des grands pogroms fût revenue. Lorsque je revenais le soir de la ferme, je m'étonnais que l'on ne vît pas à l'horizon la lueur des brasiers.

Il y avait eu des massacres à Krivoï-Rog, jusque dans les villes du Donetz.

A Elizabethgrad, beaucoup de nos amis avaient fermé boutique et étaient partis vers les portes de Crimée. Je sentais confusément, à entendre parler mon père, qu'un grand exode se préparait.

Je pensais à la crainte des puces des moujiks que ma mère éprouvait tant et j'avais l'impression que nous autres, juifs, étions devenus les puces de ce grand moujik qu'était la Russie et il s'était mis à nous secouer, à nous écraser de l'ongle de son pouce. Il nous fallait donc sauter très loin pour lui échapper.

Mon père s'absentait souvent, des voyages de

plus en plus longs. Quelque chose se préparait, j'ignorais quoi. La blessure d'Avram se fermait peu à peu. Il allait mieux et ne s'endormait plus comme autrefois au cours de ma lecture avec des gouttelettes de sueur au-dessus de sa lèvre supérieure. Assis dans son lit, il avait recommencé à jouer un peu de violon et je l'accompagnais en sourdine avec de lents mouvements.

Et ce fut le printemps de l'année 1904.

Il me reste de cette époque une ancienne photo : nous sommes dans le salon autour d'un guéridon. Ma mère retient à grand-peine un rire qui transparaît dans ses yeux. Mon père, très digne, éclate dans son habit trop étroit barré d'une chaîne de montre. Yanni et Boris ont bougé, car ils sont très flous. Je suis au premier plan à droite : j'ai une robe jusqu'aux chevilles, et les manches descendent en pointe jusqu'au milieu de ma main; je suis boutonnée jusqu'au cou et mon chignon semble très haut sur ma tête. J'ai mon violon sur mes genoux; j'ai tenu à le faire photographier avec moi. Mes yeux sont très noirs. Je suis jolie et je souris à l'objectif. Je ne sais pas en cet instant que dans moins d'un mois je quitterai pour toujours cette maison qui m'a vue naître et où je vis heureuse depuis toujours. Je ne sais pas que je ne la reverrai jamais. Une page se tourne.

Dans la poche de mon père les passeports sont prêts, il les a fait fabriquer à prix d'or. Je ne m'appelle déjà plus Anna Boronsky mais Anna Markov.

Le magnésium a éclaté. C'est Max qui nous a

pris. Je le vois émerger du drap noir sous lequel il s'était enfoui. Il tousse dans l'âcre fumée blanche qui nous suffoque et va ouvrir les fenêtres.

Il sacre et tempête, repère Boris et Yanni qui ont bougé et range avec amour son appareil gigantesque dont la forme m'impressionne plus que tout. Max photographiait tout, en ce début du XXᵉ siècle, les blés au printemps, le visage de nos vieux paysans... Il allait planter son trépied dans la forêt, marchant des heures avant de trouver le bouleau qu'il lui fallait, la trace du soleil sur la dernière neige tapie au pied des troncs.

Il développait ses plaques en les plongeant dans des bains magiques. Je tournais autour des flacons, des bocaux, sans oser m'approcher. C'était le domaine de Max le sorcier.

Que sont devenues ces plaques ? Il y en avait plusieurs, certaines pleines de visages barbus, de femmes emmitouflées dans des fourrures, d'arbres en fleur ; j'étais sur un grand nombre d'entre elles ; je me souviens de l'une surtout : une petite fille devant une cage de perroquet plus grande qu'elle et qui fait une moue désolée parce que Popkei ne parle pas...

Fin juin, mon père partit. Quelques jours plus tard, alors que j'aidais ma mère à la cuisine, nous vîmes sur la route les premiers réfugiés. Ils venaient de Tchernigov, sur le Desna, aux limites de la Biélorussie, et je fus frappée par l'épouvante qui était demeurée dans leurs yeux. Il y avait un garçon de mon âge parmi eux, avec de longues boucles noires entortillées, un manteau trois fois trop grand pour lui et un chapeau melon qu'il bourrait de paille pour qu'il ne lui tombe pas sous les yeux. C'était le fils d'un rabbin et il me le fit savoir dès la première seconde. Il serrait contre son bras un livre épais comme un dictionnaire marqué d'une étoile de David.

— Viens, me dit-il à voix basse, je vais te montrer les prières secrètes.

Je le suivis hors de la cuisine, où il venait d'avaler un bol de lait pur. Lorsque nous fûmes arrivés dans la grange, il posa le livre à terre, se balança plusieurs fois, ferma les yeux, récita une prière à toute vitesse en langue inconnue, puis il leva les paupières et bondit sur moi en essayant de m'embrasser.

Je tombai à la renverse, mais ce morveux aux cheveux en tire-bouchon et au regard fuyant ne me faisait pas peur. Je lui expédiai un coup de poing qui lui coupa la respiration et un autre qui lui fit bleuir instantanément l'arête nasale.

Il se releva péniblement mais avec dignité, s'épousseta, remit de la paille dans son chapeau, serra son livre sous son bras et murmura en se frottant le nez :

— *Amen.*

Je le vis disparaître, perché sur le sommet d'une charrette, l'air profondément méditatif. Son chapeau melon fut la dernière chose qui s'évanouit à l'horizon.

Je racontai mon aventure à Boris, qui en rit aux éclats, et toute la maison fut au courant. Ma mère s'en amusa fort, elle aussi. Le soir même, elle nous réunit dans la chambre d'Avram.

— Mes enfants, dit-elle, nous allons partir.

Je savais depuis quelque temps que ce serait bientôt notre tour. Les juifs quittaient l'Ukraine : pourquoi aurions-nous subi un sort différent ? Cependant je sentis soudain les murs qui m'entouraient devenir des choses vivantes, des remparts doux et tendres qui avaient accompli depuis mon premier souffle leur action protectrice, et je me sentis nue et désarmée à l'idée de vivre désormais loin d'eux.

Il y eut un terrible silence. Chaque centimètre carré de cette maison représentait un chapitre de notre histoire, de notre vie; elle avait tellement résonné de nos chants et de nos musiques qu'il nous apparut soudain impossible qu'elle puisse exister sans nous.

— J'ai reçu ce matin une lettre de votre père, poursuivit ma mère, nous allons le rejoindre à la fin du mois; désormais, nous vivrons à Odessa.

Odessa !

La ville près de la mer ! Les rues grouillantes, les lumières, le roulement sur le pavé des omnibus à chevaux !

En un éclair je vis tout cela et davantage encore. Le paysan allait plonger dans le tourbillon de frivolités urbaines et une envie d'extérioriser ma joie s'empara de chaque fibre de mon corps.

— Que dit mon père au sujet de la maison ?

C'était la voix grave d'Avram qui avait posé la question.

Ma mère baissa la tête et la lampe sur le mur fit osciller l'ombre de son profil.

— Nous allons vendre. Il a déjà pris contact avec Domka. Il ne reste plus que quelques formalités.

Domka le Lièvre !

Il serait donc propriétaire de ces lieux... A bien réfléchir, cela n'était pas grave. Il posséderait ces murs, ce sol, ce plancher, mais jamais il n'aurait autre chose que des pierres et des poutres. Le reste, nous l'emporterions avec nous et personne ne pourrait nous l'arracher.

Je ne me retourne pas. Aucune force au monde ne peut me faire me retourner. Si cela arrivait, je dégringolerais de la voiture où s'entassent les valises, les cartons à chapeaux et la machine à coudre que nous n'avons pas eu le temps d'expédier et je me jetterais sur les marches de ma maison. Aucune force humaine ne pourrait alors me faire lâcher prise.

Les larmes de Marthe coulent sur mes joues, sur mes mains.

Sur le ciel le visage de ma mère se découpe, livide. Boris, à mon côté, serre les mâchoires et je vois se crisper les muscles de son cou.

A travers le voile d'eau qui dilue mon regard, je vois Domka courir et se cramponner à la voiture.

— Madame Boronsky, jamais je ne vous oublierai, jamais...

Il suffoque, sanglote d'émotion. Il a acheté la

maison, les meubles, les tableaux. Il a discuté sur chaque prix, a lutté chaque fois pour obtenir un rabais; finalement il a eu l'ensemble pour un prix dérisoire, mais il y a deux hommes en Domka : le commerçant imperméable aux sentiments et le petit homme doux et émotif qui pleure de voir partir ses voisins qu'il a plumés la veille.

Mais n'y avait-il pas deux jeunes filles en moi ? Celle séduite par la perspective de connaître Odessa et celle qui ne voulait pas quitter la maison de son enfance ?...

Les violons sont derrière, dans les boîtes, recouverts d'une bâche et de sangles. Comme j'aimerais l'avoir en ce moment, mon violon ! Il me semble que je composerais la musique la plus déchirante qui ait jamais été écrite, que je ferais pleurer les pierres dures du Kazakhstan. Ecoutez-moi, hommes de la Sainte Russie, moi, Anna Boronsky, juive chassée de son village, je vous crie mon chagrin et ma douleur...

Domka me serre dans ses bras, et j'embrasse ses bonnes joues tremblantes de lapin bien nourri.

Le plus dur reste à faire.

— Prenez bien soin de lui, Yvan Yvanovitch...

Je ne veux pas me séparer de mon perroquet... Domka desserre son étreinte et ses doigts se referment sur les miens qui sont crispés sur la cage avec une violence inutile...

Adieu, Popkei, mon bel oiseau...

Avram, dans un terrible reniflement, lève son fouet.

Ça y est, nous sommes partis et je puis me retourner.

Domka court près de la charrette et ses larmes coulent. Marthe, immobile, diminue déjà au pied de la maison dont le soleil frappe chaque carreau pour une ultime illumination. Abandonné au milieu du sentier, un perroquet lève au ciel un bec lamentable et, pour la première fois de sa vie, pousse un cri inarticulé.

Boris me serre l'épaule.

— Tu as entendu ? Il a parlé !

Je ris à travers mes larmes et je ne m'aperçois pas que le village peu à peu a disparu, que nous dépassons déjà les dernières fermes et que l'enfance, mon enfance vient de finir.

LIVRE II

CHAPITRE PREMIER

J'ouvre péniblement un œil.

Le plafond grince au-dessus de ma tête et, avec un gémissement, je m'enfonce désespérément sous l'édredon, au creux de l'épaule de ma mère qui doit être éveillée.

Il est cinq heures et demie. A l'étage au-dessus, Séréguine se lève.

Les lattes craquent. Il doit marcher sur la pointe des pieds, mais toute précaution est inutile : dans cette vieille rue Fotine, comme dans tout ce vieux quartier de la Madlevenka, il ne doit pas exister une seule latte de parquet qui ne soit pas pourrie ni mangée aux vers. Aux fenêtres, les lampes à huile se sont éclairées : les hommes se préparent. Dans quelques minutes la rue se peuplera du bruit de leurs bottes et ils se mettront à courir en direction du haut de la ville, vers les forges dont les hautes cheminées crachent leur fumée contre le ciel sale.

Il y a deux pas à présent; le nouveau est plus léger, plus trottinant : je sais qu'il appartient à

Kolia, le fils de Séréguine. Lui aussi travaille à l'usine. Je lui ai parlé il y a trois jours alors qu'il rentrait à la nuit.

Je balayais le palier et il a jailli comme un diable de sa boîte :

— Tu joues du violon, Anna Markov, je t'ai entendue hier !

J'ai ri de son enthousiasme. Il y avait un contraste comique entre ce visage d'enfant, la poussière de charbon qui maculait son visage et son tablier de travailleur. Kolia a neuf ans. Il travaillait depuis six mois dans une des fonderies du cartel Prodameta.

Kolia rit sur le palier et me montre les paumes de ses mains où la poussière de charbon s'incruste :

— Vive Nicolas II, notre tsar bien-aimé !

Je ris avec lui, mais il se met à tousser très vite et remonte vers son logis, un galetas qu'il partage avec son père.

Je me retourne dans la douce chaleur. J'ai des remords en songeant que je peux rester au lit encore de longues heures. Kolia, lui, va courir dans les rues brumeuses d'Odessa, remonter la ligne de chemin de fer, longer les silos et atteindre les grilles des hauts fourneaux. Là, ce sera l'enfer toute une journée.

A l'heure où je me lèverai, Kolia sera depuis des heures déjà devant la gueule rouge des fours, dans le hurlement de l'acier en fusion.

Le mouvement de ma mère qui se lève m'a

réveillée. Il fait jour à présent et je me suis profondément rendormie.

Elle tire le rideau devant la lucarne et la lumière grise éclaire la cuisine. Nous couchons sur un matelas au pied de la cuisinière ventrue qui nous dispense sa chaleur toute la nuit. Les murs ont cette couleur verdâtre qui fait penser aux capotes des soldats; à mi-hauteur il y a un gros tuyau qui traverse la pièce, fait un double crochet et répand sa chaleur bienfaisante avant de pénétrer dans la pièce à côté par un trou dans la cloison.

A côté, c'est la salle à manger, c'est-à-dire le dortoir.

Yanni dort sur la table, Max en dessous, mon père et les autres se partagent les quatre coins de la pièce. Boris et Avram ont choisi la troisième pièce, qui sert de buanderie. Ils couchent pratiquement tout habillés.

A huit heures, les bruits montent de la cour.

En se penchant par la fenêtre, on aperçoit le carré de pavés tout en bas; à droite il y a une imprimerie et par la porte toujours ouverte malgré le froid on entend monter le cliquetis d'une vieille presse asthmatique. A ce cliquetis répond celui de la machine à coudre de Théodoris — je peux le voir travailler. Il ressemble, avec sa barbe et ses cheveux lisses séparés par une raie médiane, au pope Gapone, celui-là même qui, il y a moins d'un mois, le 22 janvier, a mené le peuple à la boucherie en l'entraînant vers le Palais d'Hiver sous les balles des cosaques.

Mais Théodoris est un Gapone joyeux. Il me fait signe de sa main gantée de mitaine :

— Joue, Anna, joue un peu.

— Je n'ai pas le temps, petit père, je dois faire des commissions...

Il agite sa main et actionne sa machine de plus belle.

Je bois un thé très fort et, emmitouflée dans mon châle, je descends l'escalier branlant et me voici dans la rue.

Que l'on n'attende pas de moi une description de la ville dans cette année terrible de 1905.

Je n'ai le souvenir que d'une perpétuelle envie de pleurer qui me serrait la gorge; je me revois marchant dans des rues sans couleurs, peuplées d'hommes lourds et farouches, à la limite du quartier juif et du quartier ouvrier. Au-dessus de nous il y a des fumées et, vers l'est, les collines coniques des crassiers ferment la ville. Si l'on monte sur l'un d'eux, ou en gravissant la rue de Géorgie qui serpente entre les hauts murs de brique du quartier des fabriques, on surplombe et l'on voit le port dans son entier. Je suis venue plusieurs fois sur cette petite place à l'herbe couleur de mâchefer, et j'ai pu constater que la mer Noire était noire comme étaient gris et rouillés les grands entrepôts, les docks, les quais et les grands minéraliers qui accostaient pour emporter le blé de la terre d'Ukraine qui, en ce temps-là, aidait à nourrir le monde.

Avec Boris, nous sommes allés quelquefois sur le port. C'était très loin de la Madlevenka, il me faisait courir entre les cordages, les sacs, nous contournions des jarres gigantesques et regardions les chargements de grains disparaître dans les cales des bateaux.

En contrebas, près des étraves, la mer battait doucement, une eau glauque qui donnait le frisson et qui laissait une écume grise comme celle qui subsiste sur l'émail des baignoires mal lavées.

Comme mon rêve d'Odessa était loin !

Si j'avais pensé une seule seconde que nous allions rester tout le restant de notre vie à la maison de la rue Fotine, il me semble que je serais allée me jeter tout droit dans l'eau glacée du port.

Boris m'entraînait sur la double jetée qui protège l'entrée. Il y avait tout un peuple étrange le long de ces quais sombres : des mendiants, des estropiés surtout; ils étaient d'anciens ouvriers de la Prodameta, des anciens mineurs du bassin du Donetz, des hommes qui avaient creusé des puits dans le Caucase pour permettre au pétrole de jaillir, beaucoup d'anciens marins. Tous ou presque avaient eu des accidents : une trouée de métal liquide avait rongé leur chair, une chute dans les échelles raides, un sac de charbon sur leurs épaules, avait brisé leurs échines. Ou, trop vieux pour être employés, ils avaient un jour rencontré la misère. Au milieu d'eux, des hommes traînaient, déguenillés, l'oreille à l'affût; il y avait là des voleurs, des rôdeurs, mais surtout des membres de l'Okhrana, la terrible police politique.

Boris me les montrait de loin. Ils se mêlaient aux groupes, on les reconnaissait à ce qu'ils finissaient toujours par offrir des cigarettes autour d'eux et ils attendaient que sonnent les mots clefs qui entraîneraient l'arrestation : « Potemkine », « Trotski », « socialisme », « mencheviks ». Quelquefois on retrouvait l'un de ces hommes au fond de la cale d'un navire, le cou rompu après une chute de vingt mètres; il y avait en effet une organisation terroriste polonaise à Odessa, dont la spécialité était la chasse aux espions tsaristes.

Nous avions eu de la chance de trouver cet appartement : Odessa était la dernière planche de salut. Chassés de Bessarabie et de Russie Blanche, tous les juifs venaient vers le grand port russe.

Assis sur une des piles de la jetée, Boris agite ses jambes au-dessus des flots gris. Je sais qu'il est triste : Boris est un garçon impétueux, joueur, plein de vie; il aurait voulu aller à l'université de Kiev, il aime les livres, il connaît Tolstoï très bien et admire Dostoïevski; mais il ne sera jamais un étudiant. Les nouvelles lois le lui interdisent : un juif ne peut ni habiter une grande ville ni entrer dans les universités, à moins qu'il n'ait vingt sur vingt dans chacune des matières; leur nombre ne devait pas dépasser 3 p. 100.

Je ne sais que lui dire. La brume marine dépose sur mon visage une mince pellicule d'eau et de sel... Il nous faut rentrer.

Il vaut mieux être chez soi avant la nuit. Il y a souvent des contrôles de l'armée ou de la police et on dit que d'étranges choses se passent dans les sous-sols des casernes et des commissariats.

A la maison, mon père et mes frères les plus

grands ne sont pas souvent là, quelquefois même ils dorment ailleurs et j'ai peur.

Que font-ils au cœur de cette chaudière qu'est devenue Odessa ? Je crains que Pétia, l'homme qui a fait nos faux papiers, ne les ait entraînés dans une terrible aventure.

Pétia avait été arrêté par l'Okhrana alors qu'il habitait Riga. Arrêté et torturé, il fut envoyé en Sibérie. Avant de traverser la steppe qui couvre les grands territoires du désert blanc, il parvint à s'enfuir. Les soldats le poursuivirent quatre jours à travers les monts Villonski et ils installèrent leur campement d'une nuit dans un repli de terrain où il s'était caché, au fond d'une fissure dans le rocher.

Il passa huit heures à moins de vingt-cinq centimètres du nez du capitaine qui commandait le détachement.

Pétia nous racontait cela, le soir; il riait doucement en évoquant la terrible nuit où l'officier cosaque lui envoyait son haleine surchargée de vodka en pleines narines. « Il ronflait tellement fort, concluait Pétia, que lorsque le jour s'est levé, après avoir respiré tant de vapeurs, j'étais aussi soûl que lui ! »

Les hommes riaient et, dans notre salle à manger, les conversations reprenaient. Pétia sortait des tracts de toutes les poches de sa veste; il en avait partout, même dans sa chemise, et il me faisait penser à un prestidigitateur.

— Plus de deux millions de grévistes, camarades, annonçait-il, c'est la fin du tsar si les gars du textile se constituent en soviet et viennent avec nous, nous aurons fini de trembler, et cela pour toujours !

Un soir que nous étions tous réunis, Séréguine, notre voisin du dessus, descendit avec son fils Kolia.

Il se mêlait rarement à nos soirées. C'était un homme bon qui avait plié le genou toute sa vie et qui avait du mal à accepter les mouvements révolutionnaires qui grandissaient autour de lui.

Ce soir-là, il arriva comme la réunion était déjà commencée. Accroupie sur mon matelas, je reprisais une de mes robes dans la cuisine ; je pouvais voir ce qui se passait par la porte entrebâillée.

Sans un mot, Séréguine s'avança dans la lumière et fit signe à son fils de le suivre. Je vis le visage de Kolia sous la lampe et le fil me tomba des mains.

Il y avait une tache sombre sur l'arcade éclatée et la peau sur la pommette était violette ; le coup avait dû être porté avec une brutalité inouïe.

Séréguine croisa ses mains tremblantes et murmura d'une voix sans timbre :

— C'est le surveillant. Il l'a frappé parce que Kolia n'allait pas assez vite pour manœuvrer la chaîne du soufflet.

Personne ne disait mot. Simplement mon père lui avança une chaise, sur laquelle il s'assit pesamment.

— Pétia, ajouta Séréguine, je voudrais savoir comment je pourrais me rendre utile.

Pétia sourit, entoura de son bras les épaules

102

robustes du nouvel arrivant et Avram fit circuler la bouteille de vodka.

Dans la demi-obscurité, Kolia était venu me rejoindre et je promenais doucement mes doigts sur son visage.

— Cela te fait mal, Kolia ?

— Non, Anna, plus maintenant. Joue-moi quelque chose.

J'allai chercher mon violon et lui jouai tout doucement quelques airs. Après il me parla de sa vie à l'usine...

— Que veux-tu faire plus tard, Anna ?

Cela, je l'ignorais totalement et sa question m'étonna. Les choses allaient trop vite pour que je puisse songer à l'avenir. Peut-être demain ferions-nous partie de ces convois interminables que l'on rencontrait sur les routes et qui, lentement, escortés de soldats eux aussi épuisés, traversaient le pays en direction du nord.

Nous bavardâmes longtemps, assis en tailleur, éclairés par le reflet oscillant des flammes, puis Kolia et son père partirent, Pétia aussi, et quelques autres, membres comme lui du Bund. Je me souviens, parmi eux, d'un géant finlandais qui en quelques mots refaisait le monde et dont les yeux brillaient alors comme deux étoiles.

Ce soir-là, après le départ des autres, mon père m'appela et la famille se serra autour de l'étroite table.

— Je vous ai réunis tous, dit-il, pour vous faire part de mes projets. Avram les connaît, mais à part lui et moi...

Je l'interrompis :

— En tout cas, moi, je n'en sais rien.

— Si Anna ne sait rien, poursuivit-il, c'est que nous avons vraiment bien gardé le secret.

Il y eut des rires sarcastiques et j'ouvrais la bouche pour riposter lorsque mon père reprit :

— Quand nous avons quitté le pays, mon but n'était pas de venir m'installer pour toujours dans cette ville.

Ses doigts longs fourragèrent dans sa barbe et il jeta sur la pièce un regard dégoûté : les vieux murs, le tuyau en zigzag de la cheminée, les meubles crasseux paraissaient encore plus sinistres sous le maigre éclairage.

— Odessa, dit-il, n'est qu'une étape.

Je serrai le bras de Boris qui était à ma gauche et poussai un cri de victoire qui fit rire tout le monde.

— Mais où irons-nous alors ? demanda Yanni.

Mon père le regarda et hocha la tête.

— Nous quitterons la Russie, dit-il; j'ai bien réfléchi ces derniers mois et il n'y a pas d'autre solution.

Il vida distraitement un verre de vodka et le reposa sur la table, traçant avec le fond du verre des auréoles sur le bois.

— Je dis aujourd'hui, martela-t-il, que le juif qui reste dans ce pays est un fou. Nous partirons.

— Où cela ? haleta Boris.

Mon père redressa la tête et un sourire éclaira son visage. Il remplit lentement son verre, celui d'Avram, de Max et reposa la bouteille.

Avec une majesté de patriarche, il le leva comme s'il portait un toast, et sa voix éclata dans la pénombre :

— En Amérique !

Avram et Max sont partis hier. Ils se sont embarqués sur un cargo pour la Turquie. Ils s'installeront quelque temps à Constantinople, trouveront du travail, un logement et ils nous écriront de venir les rejoindre. C'est ainsi qu'il en a été décidé !

Nous progressons comme les armées en marche. Nous envoyons une avant-garde et le gros de la troupe suit. Dieu veuille qu'elle suive bien !

Je joue avec Isaac et Kolia au piquet. Nous jouons des haricots secs que maman écosse près de nous, sur la table de la cuisine. Le jour qui tombe de la lucarne me la fait paraître triste ; elle a vieilli depuis notre départ, des rides que je ne connaissais pas se sont accumulées au coin de ses yeux.

Le poêle ronfle, c'est dimanche. Les rues sont pleines de neige fondue et nous ne sommes pas sortis sur le port. Je surveille les garçons qui trichent, mais ma pensée est ailleurs.

En Amérique.

J'ai entendu souvent parler de ce pays. Je sais qu'il est de l'autre côté de la terre, qu'il y a d'immenses territoires, que les gens s'amusent toute la journée et que les rues portent des numéros. C'est à peu près tout, mais cela me suffit. Je sais aussi que là-bas je n'aurais plus peur et que je pourrais jouer du violon toute la journée.

— Tu joues ou tu rêves ?

Isaac me regarde d'un air fâché.

Je jette une carte au hasard et continue à rêvasser. Pourvu qu'Avram et Max donnent bientôt de leurs nouvelles !

Kolia se penche et chuchote :

— Personne ne le sait, mais j'ai entendu les hommes en parler avec mon père : demain il n'y aura personne au travail.

Les yeux d'Isaac brillent :

— Tu es sûr ?

— Certain, le soviet a décidé la grève.

Mon cœur bat plus vite et maman fixe Kolia qui jubile : la seule perspective de ne pas se lever demain à cinq heures et demie et de courir dans les rues glacées le remplit de joie. Mais que va-t-il se passer ? Aux filatures, l'armée a tiré sur les travailleurs. Est-ce que ce nouveau débrayage ne va pas mettre le feu aux poudres ?

Maman rassemble ses haricots.

— Je me demande si le tsar est au courant de tout cela, murmure-t-elle.

— Il sait tout, dit Isaac, mais il s'en moque.

C'est à ce moment que je pris conscience qu'une rumeur sourde s'était formée et montait peu à peu.

Je bondis sur mes pieds, dispersant cartes et haricots, et dévalai l'escalier, suivie des deux garçons. Ma mère nous cria de faire attention, mais nous étions déjà dans la rue. Je vis une femme courir, un enfant dans les bras, et disparaître sous une porte basse. Au moment où je tournais l'angle de la rue de Grèce, un coup de feu éclata. Je restai stupéfaite et revins à toute allure sur mes pas, escortée de Kolia et d'Isaac qui s'essoufflaient à me suivre dans le dédale des ruelles.

Tout près de notre maison, il y avait un puits et je vis un homme agenouillé contre la margelle. Il avait une calotte noire sur la tête et des cheveux tire-bouchonnés comme le grand dadais qui avait voulu m'embrasser dans la grange de notre maison.

Il sortit de sa méditation avec difficulté, souleva des paupières lourdes, nous regardant avec surprise.

— Fuyez, dit-il, le feu et l'acier sont sur la ville. L'ange exterminateur est apparu.

— Calmez-vous, dit Isaac, et expliquez-nous plutôt.

Il passa une langue rapide sur ses lèvres sèches et jeta :

— Les cosaques ont envahi le ghetto.

Isaac et moi eûmes un haut-le-corps : ils étaient là de nouveau, ils nous avaient rattrapés, jamais ils ne nous laisseraient en paix.

Nous sommes revenus très vite à la maison à travers les rues boueuses. Il y eut d'autres coups de feu, des ordres secs, et je vis des silhouettes sur les toits luisants des maisons.

Au-dessus du bruit des poursuites, tandis que les soldats pénétraient dans le ghetto, les cloches d'Odessa sonnaient comme pour annoncer les débuts de l'Apocalypse.

Père revint en pleine nuit. Il était épuisé et ses yeux brillaient bizarrement. Nous parlions à voix basse, mais j'étais sûre que personne ne dormait dans la maison. Les lueurs filtraient à travers les volets mal joints, laissant deviner des présences éveillées. Il sortit une enveloppe de la poche de sa redingote et la laissa tomber sous le faisceau lumineux de la lampe.

— Qu'est-ce que c'est ?

Il me regarda et posa sa main sur ma tête.

— Des billets pour le bateau de demain.

Ma mère tressaillit et posa sa main sur le bras de son mari.

— Oui, dit-il, nous embarquons demain, sur le *Drovna*, pour la Turquie.

Toutes les respirations étaient suspendues.

— Nous laisserons tout ici, poursuivit-il. Vous aurez chacun un seul paquet contenant vos affaires personnelles, le plus léger possible. Nous monterons à bord très tôt pour essayer d'obtenir au moins une cabine...

— Pourquoi, dit Boris, il y a tellement de monde sur ce bateau ?

— Oui, dit mon père gravement, il y en aura énormément. Tu sais pourquoi ?

— Non.

— Parce qu'il sera le dernier.

Ma mère intervint à son tour :

— Tu es sûr?

— Certain! Le ghetto est bouclé. Le reste de la ville est occupé par la troupe, la chasse aux juifs et aux grévistes est déjà commencée, demain tout peut éclater.

Il baissa la tête et ajouta :

— Pétia est arrivé de justesse à leur échapper, mais ils ont découvert son officine et son matériel de fabrication pour faux papiers. On a fouillé des hommes tout l'après-midi sur le port.

Il resta silencieux quelques secondes, puis :

— Nous n'avons plus le temps d'attendre des nouvelles d'Avram et de Max. Une fois en Turquie, nous aviserons. L'important est de partir.

Il promena son regard sur nous tous et ajouta :

— Et maintenant il est temps d'aller dormir.

Je ne fermai évidemment pas l'œil de la nuit. A un moment, au-dessus de ma tête, j'entendis Kolia gémir dans son sommeil et une vague de tristesse plus noire encore que la nuit qui m'entourait se rua sur moi.

Je ne le reverrai plus.

Qu'est-il devenu, le petit apprenti d'Odessa? A-t-il été tué dans une émeute? A-t-il vécu encore quelques années, rongé de silicose, passant les belles heures de son enfance à actionner les soufflets géants dans le vacarme et les torrents de métal brûlant? Je ne l'ai jamais su. Il ne reste plus de lui sans doute, aujourd'hui, que le vieux souvenir d'un enfant brave et souriant qui gémissait la nuit et aimait m'entendre jouer du violon.

Kolia s'est rendormi. Mes yeux sont ouverts

dans le noir et parfois un coup de feu lointain et étouffé me parvient de la ville basse. J'apprendrai demain que des hommes ont été tués sur les grands escaliers qui ont déjà vu les massacres de juillet, lors de la révolte des marins.

Il faut quitter Odessa, le grand et sinistre port couleur de cendre et de sang — je suis heureuse de partir, d'autant qu'il y a au bout un long, très long voyage... Nous devrons traverser des mers, l'Europe, l'Océan, mais nous ferons tout cela car, au bout, aux confins des eaux, une terre m'attend, ensoleillée, une ville illuminée et rieuse dont les murs s'élancent vers le ciel.

CHAPITRE II

— NE lâche pas! surtout ne lâche pas!

A travers les têtes, je vois le visage congestionné de mon père qui me tire, mon bras va se détacher de mon corps, de l'autre main je tente de dégager mon violon coincé dans l'amoncellement des corps et des ballots.

La passerelle va craquer, elle ne peut plus résister à la ruée des gens. La rambarde me scie les côtes; mon Dieu! je n'y arriverai jamais...

Le hurlement de la sirène scie l'air, le jet de vapeur du *Drovna* monte dans le ciel. La coque monstrueuse est devant moi. Un grop type s'arcboute, m'enfonce le coin ferré de sa valise entre les omoplates; je crie, cramponne la main de mon père Marko Boronsky devenu Marko Markov. Je rue des talons, m'appuie sur une tête; quelqu'un m'enfonce un doigt dans l'œil, je me dégage, balance à la volée un coup de boîte à violon, et soudain c'est le trou.

Un couple devant moi s'effondre; la poussée me jette en avant, j'écrase un dos, gagne un mètre, deux. La main de mon père m'agrippe l'épaule et il fonce tel un bélier. Il y a des cris et brusquement, sans savoir comment, je suis à bord du *Drovna*.

— Ta mère est à l'avant, va la rejoindre, débrouille-toi.

Encore hébétée, je le regarde :

— Où vas-tu?

— Isaac est resté en rade, je vais le chercher.

Affolée, serrant mon violon, je le vois replonger à contre-courant dans la mêlée.

Partout autour de moi des cageots, des poules têtes en bas, réunies par les pattes; il y a une vieille femme avec un tableau sous le bras, des malles, des monceaux de valises cerclées de cordes; le museau d'une chèvre dans le creux de la main me fait sursauter.

Comment retrouver maman dans cette foule! Les escaliers étroits sont impraticables. Les premiers arrivés se sont déjà couchés sur le pont, roulés dans des couvertures, les mains croisées sur des coffrets, des choses précieuses enveloppées dans des sacs de cuir, de toile...

Sur la passerelle, un marin crie dans un porte-voix, mais je ne peux comprendre ce qu'il dit.

— Anna!

L'appel de maman! La voilà, serrée contre le bastingage. Boris et les autres sont près d'elle.

Jamais nous ne pourrons faire le voyage ainsi, sur ce pont, avec le froid et le vent. Une fine brume tombe déjà.

Deux femmes portent un lit d'enfant au-dessus

de leurs têtes et me bousculent. Je me précipite. En dessous, sur la gauche, en me penchant, je peux voir la passerelle et les quais encore grouillants de monde. Ils ne monteront pas tous, ou alors le bateau va couler avant même qu'il ait largué ses amarres.

Je vois mon père et Isaac; ils luttent comme des forcenés. Là-bas, près du poste d'embarquement, des poings se lèvent, une bagarre a dû éclater.

Dix ans de ma vie pour que ce bateau s'en aille! En face de moi, Odessa se déploie en arc de cercle. Le ciel est si bas que l'on ne distingue plus le haut des flèches de la cathédrale. Sur la Madlevenka, une fumée plane, violette, et noie les clochetons vert-de-gris du séminaire orthodoxe.

La violence des cris redouble, des soldats dont j'aperçois le calot plat essaient de retirer la passerelle et la grappe humaine ondule. Les baïonnettes luisent dans la lueur métallique du couchant. La poitrine de Boris me protège de la poussée violente. Derrière moi une enfant hurle, enveloppée dans un châle; je vois le petit visage congestionné, la bouche béante par laquelle sort un cri ininterrompu.

Le « Ah! » des émigrants est si fort que j'ai l'impression que c'est le navire lui-même qui vient de l'exhaler : la passerelle a été relevée.

Père et Isaac ont réussi à embarquer et je pousse un énorme soupir de soulagement. La pluie s'est accentuée et noie déjà le pont qui grouille de monde et je frissonne malgré mes deux robes, mes deux vestes et mes deux manteaux. J'ai tout mis en double pour emporter le maximum de vêtements, j'ai regretté de ne pas pouvoir enfiler deux paires de bottes l'une sur l'autre.

Tout en haut, au-dessus de nos têtes, un marin au crâne rasé et aux terribles moustaches vérifie les amarres du canot de sauvetage; c'est un matelot grec qui bondit d'un cordage à l'autre comme un singe dans la jungle.

La pression m'écrase contre le bastingage. Boris résiste.

— Ne poussez pas, bon sang!

Et soudain je la vis.

Le corps pirouette dans l'air, frôle un hublot, s'écarte du bateau et s'enfonce dans l'eau en soulevant une gerbe d'écume à moins d'un mètre du rebord de pierre. La gerbe retombe comme dans un ralenti de cinéma et je cherche désespérément au sein des eaux noires si le corps remonte.

— Elle a dû se tuer... Tomber de cette hauteur!

Brusquement le bateau bouge. Du côté opposé à celui où je me trouve, les amarres ont été lâchées et un remous m'écarte du bastingage. Je tente de me glisser entre les corps, mais c'est impossible. Je ne vois plus rien. Une trépidation subite ébranle le plancher de fer : les machines se sont mises en marche.

Jamais je n'ai su si cette femme a été repêchée. Je m'écroule en larmes contre ma mère : je n'en peux plus, cet embarquement est un enfer, déjà une odeur d'huile lourde et chaude enveloppe le pont.

114

Je me jure de ne descendre dans les cales sous aucun prétexte. Je préfère mourir de froid cette nuit sur le pont. Près des machines, la puanteur doit être atroce.

— Quand arriverons-nous?

Boris a un geste fataliste :

— On y sera vers la fin du mois...

Je ricane, mais je l'admire de pouvoir plaisanter encore dans la situation présente. J'ai l'impression que la mer Noire est une mer immense et que ce rafiot n'arrivera jamais.

— J'espère que tu te trompes, Boris, murmure maman. Je dois vous annoncer une nouvelle désolante : j'ai laissé sur le quai le panier aux provisions.

Mon père grimace et mes frères ont une moue de déception. Dans quelques heures elle se transformera en désespoir. Pour moi, cela m'est totalement indifférent : j'ai l'impression que je ne pourrai plus manger de tout le reste de ma vie.

La vibration s'accentue. De la cheminée, des flots de fumée jaillissent et s'étalent, tartinant le ciel d'une couleur infecte.

Lorsque le *Drovna* s'éloigna du quai, je vis pour la première fois des larmes briller dans les yeux de mon père : nous quittions la Russie et aucun de nous n'y reviendrait jamais.

De tous les corps solides, le corps humain est sans doute celui qui est capable de tenir le moins de place. Après quelques heures de navigation le tangage a tassé les voyageurs, ils se sont couchés et on peut circuler presque facilement en enjambant les corps.

La pluie a cessé; depuis que les côtes de Crimée ont disparu, le vent est tombé et le *Drovna* semble presque immobile; malgré des torrents de fumée qui ondulent derrière nous en un lourd panache, nous avons l'air de progresser centimètre par centimètre.

La nuit vient doucement sur la mer. Au-dessus de ma tête, dans l'enchevêtrement des haubans et des cordages, les étoiles scintillent.

— Anna...

La main de Yanni sur mon épaule me tire de ma rêverie.

Je me soulève sur un coude :

— Qu'est-ce qu'il y a?

Les lèvres de mon frère frôlent mon oreille :

— Viens avec ton violon.

Stupéfaite et légèrement somnolente, je suis la silhouette de Yanni qui enjambe avec aisance les groupes agglutinés dans l'ombre. Il disparaît derrière une manche à air. Je le perds de vue puis je le vois qui me fait signe sous la lumière jaune d'une lampe de la coursive.

— Dépêche-toi.

Que peut-il bien me vouloir?

Nous montons des marches ferraillantes et brusquement l'air de la mer me frappe le visage.

Sur la plus haute passerelle, sous la lumière pailletée de la lune, une femme chante.

Tout autour d'elle il y a des marins, des émi-

116

grants. Isaac est là, la bouche pleine. Boris est là aussi, près d'une femme aux cheveux très longs et très noirs qui me sourit et se serre pour me laisser entrer dans le cercle.

La femme chante, très bien, une mélodie caucasienne que j'ai dû jouer dans les débuts où j'apprenais à me servir d'un archet.

Elle s'arrête et se tourne vers moi. Ses dents brillent dans la lumière d'argent. Lorsqu'elle parle, je suis frappée par le contraste entre sa voix chantée, aiguë, presque nasillarde, et sa voix parlée, un peu rauque.

— Tu peux m'accompagner ?

— Je vais essayer.

Tous les yeux sont fixés sur moi tandis que j'accorde rapidement.

Derrière moi, une grosse voix lance :

— Joue-nous *Grand Yvan va au marché.*

Il y a des rires, car c'est un air très simple sur quatre notes, l'équivalent d'*Au clair de la lune.* Je sens la colère monter. Ces imbéciles me font venir et, en plus, ils se moquent de moi : il faut que je leur montre ce que je suis capable de faire.

Sans prévenir, je me colle l'instrument sous la mâchoire, empoigne le manche, et en avant.

Sans orchestre, la grande soliste virtuose Anna Markov, née Boronsky, attaque le *Concerto* de Mendelssohn.

C'est étrange, j'ai rejoué ce morceau bien des fois depuis ce jour, dans une chambre d'Istanbul, dans les brasseries de Budapest, à Vienne sur le Prater, à Paris, je n'ai pas l'impression de l'avoir depuis si bien interprété que ce soir-là, sur ce rafiot poussif perdu dans la mer Noire au milieu des ballots, des émigrants affalés sur les ponts, sous le grand silence d'un ciel froid et pur.

Dès les premières notes, les formes autour de moi se sont estompées, tous les visages ont disparu, je suis seule, dans une longue robe, devant la lueur des projecteurs; devant moi c'est le gouffre, la salle immense du grand théâtre impérial de Moscou est pleine à craquer, je devine dans la pénombre le chatoiement des étoffes, des plastrons, le miroitement des bijoux et des épaulettes des officiers.

Dans les loges, la famille impériale est présente, et mon archet vole, mon bras s'agite, indépendant, mécanique parfaite, véloce et expressive à la fois; les notes filent, s'incurvent, planent, s'enroulent autour de moi; je suis au cœur de la musique, à la fois source et embouchure d'un fleuve sonore qui me submerge et que je fais naître, fleuve paisible et majestueux qui s'enfle, gonfle, se transforme en torrent dévastateur, noyant les villes, emplissant l'univers pour gambader la seconde d'après entre deux rives bucoliques, qui s'élance, tourbillonne et meurt enfin en un éclatement de bulles irisées.

C'est fini.

Le pont, les passagers, la lune qui se reflète sur la mer, tout a resurgi. Tous se taisent, et puis la femme brune près de Boris frappe dans ses mains : c'est le signal, les applaudissements crépitent, les matelots poussent des cris, l'un d'eux s'empare de ma main et me la secoue violemment.

Je m'aperçois alors qu'attirés par la musique des voyageurs nombreux se sont approchés et m'encerclent. Il y en a partout à présent, groupés sur les rambardes, sur les amoncellements de bagages...

La chanteuse m'embrasse.

— Tu connais *Le Rêve de Maria*?

C'est un air tsigane qui a eu beaucoup de succès; tous les orchestres le jouaient dans les cafés et les cabarets de Saint-Pétersbourg, disait-on.

— Bien sûr, je connais!

J'arrache des sons plaintifs à mon violon, les cordes pleurent, sanglotent, puis le rythme s'accélère; tous autour frappent dans leurs mains, plus vite, plus vite encore, encore plus vite. La chanteuse, qui s'appelle Eléna, s'est levée, tourne sur elle-même à toute vitesse et tout s'arrête brusquement dans le délire des spectateurs.

L'enthousiasme est à son comble. Je crois qu'il y en aura pour la nuit.

Isaac rampe vers moi et me tend du pain avec un clignement d'œil.

— Avec ton violon, tu ne mourras jamais de faim.

Je ris, car il répète une phrase de mon père. Je commence à croire qu'il a raison. Tout près de moi, un très jeune marin me sourit — ce doit être le mousse; il a des cheveux très blonds, très bouclés et ses yeux bleus brillent.

— Vous voulez de la confiture avec?

Je le regarde et lui rends son sourire.

— Je veux bien.

Il s'éloigne dans le noir et, pendant ce temps, Yanni, qui m'a remplacée, joue sur deux cordes une mazurka bohémienne puis enchaîne sur la *Csardas* de Szatman.

Eléna chante. Un matelot vient de surgir, crasseux, un mouchoir imbibé de cambouis autour du cou; il souffle dans un harmonica et je m'élance dans l'orchestre, cette fois c'est une autre csardas, celle en *ré* mineur de Janos Biakri. Je vois les bouteilles de vodka surgir d'on ne sait où, se renverser au-dessus des têtes, et le liquide limpide brille au clair de lune et glougloute dans les gorges.

J'ai mon violon d'une main et je mords dans une gigantesque tartine de confiture.

— Je vous ai apporté une pomme.

Mon admirateur me la tend avec un sourire radieux. Je le remercie avant de me lancer dans la danse de Udvarhek de Laszlo Laytha.

Cette nuit ne finira jamais.

Le *Drovna* semble immobile sur les flots. C'est à peine si l'on aperçoit son sillage sur la mer illuminée. La Russie a disparu depuis longtemps et il me semble que tout le bateau se grise de musique, de danses et de chants. Je vois Isaac et Yanni rire aux éclats, des marins dansent, mon père est là aussi et m'applaudit à tout rompre. Je ne vois plus Boris. Je sens les yeux bleus du mousse braqués sans cesse sur moi, je suis heureuse, enivrée, au cœur de la fête joyeuse.

120

Grégori m'a apporté des rahat-lokoums.

Le nom du mousse est Grégori.

Je mords avec délices dans la pâte molle et sucrée dont le sucre s'envole au moindre souffle comme une impalpable farine. Eléna chante doucement. Je connais aussi cet air, c'est un chant populaire csik où il est question d'un cheval boiteux.

Tout s'apaise peu à peu. Certains dorment déjà, roulés dans des couvertures. Des marins sont partis prendre le quart, la fumée de la pipe de l'un des derniers monte droite dans l'air pur, un chien furète entre les corps.

Grégori est né à Kertch, un port de la mer d'Azov, il y a seize ans. Il n'a pas connu sa mère et navigue déjà depuis deux ans sur le *Drovna*.

— Tu aimes la mer ?

Il rit et secoue ses boucles.

— Non, pas trop. J'en ai un peu peur et je suis encore un peu malade quand il y a des tempêtes, mais cela ne fait rien... Lorsque j'aurai assez d'argent, je quitterai le *Drovna* et je partirai pour l'Amérique.

Ses yeux sont de véritables étoiles à présent.

— Moi aussi, je vais en Amérique. A New York !

Je n'ai pu empêcher ma voix d'avoir un accent de victoire. Les étoiles dans les prunelles de Grégori se sont éteintes, voilées par les paupières. Je le sens triste subitement et j'essaie de me rattraper :

— Nous nous reverrons peut-être là-bas...

Il me regarde avec sérieux et sourit bravement.

— Peut-être, Anna, peut-être. Tu seras une grande musicienne.

— Et toi un grand capitaine...

Son sourire revient et nous bavardons en chuchotant.

Tout dort à présent sur le bateau et j'ai l'impression que Grégori et moi sommes les deux seules personnes éveillées sur cette planète liquide que nous traversons. Il me raconte Istanbul, les dômes d'or des mosquées, les entrepôts pleins de raisins de Smyrne, le café épais dans les échoppes sur le Bosphore, le départ des grands bateaux qui franchissent les Dardanelles et cinglent vers les mers ensoleillées, longeant les côtes d'Afrique, les villes blanches, l'Espagne, Gibraltar, l'Océan...

Grégori parle, parle. Cette nuit d'automne sur la mer Noire est incompréhensiblement douce, à peine si une brise fraîche caresse mes cheveux... Demain ne viendra jamais.

Une cloche a sonné, lointaine, comme si elle venait de l'autre bout de l'horizon.

— Je dois partir, dit Grégori, je suis de service.

Je le regarde. Comme il est beau, mon petit marin du *Drovna*, comme il est beau et triste soudain! J'ai presque quinze ans et je voudrais espérer, ne pas cesser de rêver, mais, peut-être parce que j'ai vu trop de choses, je sais que je ne le reverrai plus, que cette nuit sous la lune est la première et la dernière que nous aurons jamais.

Nous nous sommes levés et nous voici à présent face à face, bras ballants. Il me tend la main brusquement.

122

— Adieu, Anna, merci pour la musique.

— Adieu, Grégori, merci pour les confitures.

Il a un geste qui signifie que tout cela n'a vraiment aucune importance et brusquement il se détourne.

Au diable la bonne éducation!

— Grégori!

D'un bond je l'ai rattrapé. Je me soulève sur la pointe des pieds, jette mes bras autour de son cou et ferme les yeux. Je n'irai pas plus loin.

Si ce garçon n'est pas idiot, il doit savoir ce qu'il doit faire, sinon c'est à désespérer de la marine marchande de la Sainte Russie.

Ses lèvres glissent sur ma joue, mais c'est encore moi qui par un léger déplacement latéral facilite les choses, et c'est la première bouche d'homme sur la mienne. Ainsi, j'aurai été gâtée, mon premier baiser n'a pas eu un décor banal : la mer, les étoiles, l'oscillation lente des fanals... Le destin m'avait soignée...

Déjà la silhouette du garçon s'éloigne dans la coursive. Je demeure étourdie, appuyée au bastingage, le cœur battant, consciente de l'importance de ce moment, heureuse et triste à la fois.

Et c'est lentement que je regagne notre place à l'avant du bateau.

Je resterai longtemps les yeux ouverts, allongée près de ma mère tandis que mon père ronfle quelques mètres plus loin. Je ne m'endormirai que lorsque, vers l'est, une pâleur naissante envahira la mer, lorsque les dormeurs se pelotonneront davantage sous leurs couvertures, saisis par la fraîcheur soudaine que dispense l'aube toute proche.

Le jour déverse sur les visages une lueur grise. Les corps se serrent frileusement sous les couvertures trop légères. Maman dort, engoncée dans son châle qui lui cache le visage jusqu'à la racine des cheveux. Je fais frétiller mes orteils pour les réchauffer et je sens, au toucher, que mon manteau est humide. Je ne pourrai pas me rendormir. Je me sens trop pâteuse, j'ai l'impression d'avoir accumulé des tonnes de crasse et mon dos n'est plus qu'une courbature : un entrepont n'est décidément pas un lieu de repos idéal.

Ma mère gémit, se retourne et semble se rendormir.

Je me lève silencieusement, vacille sur mes jambes gourdes et, enjambant mes voisins, j'arrive au bastingage.

Le sillage est toujours le même, le *Drovna* n'avance pas plus vite.

J'aimerais trouver un peu d'eau pour me laver. Je suppose qu'il y a des lavabos dans les cales. La difficulté est d'y parvenir.

L'escalier s'ouvre là, sous mes pieds. Deux hommes parlent à voix basse, assis sur les marches, et se serrent pour me laisser passer.

Une odeur lourde et désagréable flotte dans l'air. Il y a beaucoup d'enfants ici; l'un d'eux pleure sans bruit dans les bras de sa mère, qui le berce, assise sur un monceau de sacs.

124

M'y voici. La porte de fer tourne sur ses gonds rouillés. C'est sommaire mais suffisant, un robinet goutte dans un lavabo étamé et il y a un morceau de miroir cassé, triangulaire, accroché au mur.

L'eau glaciale me fait frissonner et me coupe le souffle; les mains en conque, je laisse couler l'eau entre mes paumes... Je regarde mes lèvres dans le miroir et je pense à Grégori. Je m'essuie avec mon mouchoir et le fourre dans ma poche.

Dans l'angle, il y a un couple sous une couverture.

Je connais cette femme.

Ces longs cheveux noirs dénoués, ces cils très longs... Il n'y a pas de doute, c'est la fille qui hier soir se trouvait près de Boris, celle qui s'est serrée pour me laisser passer et qui m'a applaudie de si bon cœur : elle est très belle.

Je la regarde un instant dormir et je m'éloigne.

Tout à coup, l'idée me traverse.

Je reviens et m'agenouille près d'elle.

Délicatement, du bout des doigts, je soulève la couverture qui la recouvre. Sur sa poitrine, une tête repose; je le savais, mais cela me procure un choc : c'est Boris — sacré Boris !

Incontestablement, je suis furieuse. J'ai envie de lui administrer une paire de gifles comme lorsque nous étions encore petits.

Voilà que ce morveux qui jetait mes poupées par la fenêtre et essayait d'arracher les plumes de Popkei couche à présent avec les femmes !

Il ouvre un œil, me regarde, sa pupille s'arrondit de surprise et, sous la couverture, il se contorsionne, se livre à une gymnastique compliquée dont je suppose que le but est de remettre son pantalon.

— Qu'est-ce que tu fais là ? grommelle-t-il.

J'ai un sursaut.

— Tu pourrais être poli.

Il a un ricanement et boucle sa ceinture.

— C'est l'Okhrana qui te paie pour me surveiller ?

Je vais répondre vertement lorsque la stupidité de ma conduite m'apparaît. Ma parole, mais je suis jalouse de mon frère ! Quoi de plus normal que ce qui vient d'arriver ? Boris, si beau, si jeune, si séduisant..., et quoi de plus propice que ce bateau, ce passage entre deux mondes, pour l'étreinte d'une nuit !

Boris s'est levé et me regarde. Soudain, il me sourit comme autrefois, et j'ai l'impression que les marins d'Istanbul vont avoir intérêt à surveiller leurs épouses.

Il m'a prise par les épaules et se penche vers moi.

— Et le petit mousse ? chuchote-t-il, celui qui te bourrait de rahat-lokoums ?

J'ai brusquement une chaudière sous chaque joue.

Boris rit et me serre plus fort.

— Les femmes d'Istanbul vont avoir intérêt à surveiller leurs époux, dit-il.

Je me mets à rire à mon tour.

La jeune fille s'est réveillée, nous regarde sans

comprendre, et soudain un vacarme éclate au-dessus de nos têtes. Un homme aux joues noires de barbe dégringole l'escalier et son cri explose dans la cale, dressant les voyageurs sur leur séant :

— Istanbul !

Sur le pont, le soleil avait répandu sur toute chose une teinture de vermeil, nous voguions dans l'air pur d'un matin tout neuf.

Tout là-bas, à l'horizon, se devinait une ligne noire qui était la Turquie.

LIVRE III

CHAPITRE PREMIER

Nous descendons à toute allure les ruelles escarpées qui dégringolent de la Souleyvranige vers les rives de la Corne d'Or.

Marko Markov m'ouvre un chemin à travers la foule grouillante qui descend ou remonte vers le Grand Bazar. Il a peigné sa barbe et ses manchettes amidonnées brillent dans le soleil.

— Dépêche-toi, Anna, nous allons manquer le rendez-vous.

Je cours pour me maintenir à sa hauteur. Mes narines se dilatent et je respire à fond le parfum de poivre et de cannelle qui règne dès que l'on approche du bazar aux épices.

— Attention !...

J'ai juste le temps de me ranger contre les rayons d'une charrette pour laisser passer un gamin loqueteux au turban dénoué qui porte sur ses épaules un thon de quarante kilos plus long que lui.

La gueule monstrueuse sertie de dents aiguës me frôle le visage. Des enfants crient et semblent poursuivre le malheureux porteur, qui flageole sur ses maigres jambes brunes. Dans un renfoncement du mur, des Turcs affalés sur le sol autour de tasses de thé et de bouteilles de raki discutent âprement.

À présent, l'odeur des chich-kebab et des piments grillés remplace celle des épices et, comme chaque fois, l'eau me vient à la bouche.

Décidément, ce quartier de Roustem Pacha Djanni me transporte de joie. Lorsque je peux, avec Boris, papa ou l'un des autres, je descends... Je passerais des journées à me promener dans la fraîcheur odorante des souks, au milieu des étals de cuirs, au milieu des sacs de raisins de Smyrne, dans les montagnes de melons, de pastèques, de bananes. Entre les lattes qui laissent passer un soleil jaune, l'orange des mandarines et le rouge sanglant des grenades éclatent.

Après le quartier des fruits, ce sont les échoppes où, pour quelques piastres, on peu manger du fromage blanc avec des cuillers d'argent.

— Papa !... Papa !...

Il s'arrête, pousse un soupir, tend une pièce de monnaie au costaud en casquette qui plonge sa louche dans la purée blanche et onctueuse et me tend une assiette pleine à ras bord.

Mon père me regarde avaler le yogourt à toute vitesse et piétine d'impatience. Des hommes aux yeux sombres s'arrêtent pour me contempler. Il faut dire que les femmes sont rares. On rencontre des femmes âgées voilées de noir, des paysannes qui courent, rapides, de lourds cabas en équilibre sur la tête, et il ne doit pas être commun de voir à trois heures de l'après-midi une jeune fille s'empiffrer sans vergogne, mais je suis gourmande! Et cette crème est si délicieuse! Père le sait bien. Il invente des itinéraires compliqués pour éviter le quartier des marchands, mais il ne se repère pas encore très bien et nous y tombons toujours dessus à l'improviste, à ma grande joie.

— Ça y est? Tu as bientôt fini?

Il consulte sa montre, presque sphérique, une montre qui fait une bosse sous son gousset.

J'avale à toute allure les dernières cuillerées, manque m'étrangler, regrette de ne pouvoir lécher l'assiette et nous courons déjà en zigzag à travers la foule de plus en plus grouillante.

Très dur de courir dans les ruelles d'Istanbul. Il faut regarder en l'air pour éviter les poutres trop basses, le linge qui pend, il faut regarder à terre pour éviter les repoussantes saletés, les peaux de bananes, les chiens, les écorces de fruits, et il faut regarder tout autour de soi pour ne pas rentrer dans le ventre prodigieux d'un de ces Turcs majestueux qui promènent leur bedaine sous leurs cafetans comme s'ils étaient les derniers empereurs de Byzance, enjambant, narines pincées, les détritus et les immondices qui empestent sous le soleil d'Orient.

Oui, Istanbul est la ville la plus sale et la plus passionnante. Cinq mois que je suis là et que je ne me lasse pas de ses grouillements, de ses cris, de ses odeurs. Cinq mois! Mes frères gagnent leur vie. Ils jouent pour les familles juives des airs folkloriques qui font jaillir les larmes des nostalgiques de la terre natale. Quant à mon père, il a retrouvé quelques vieux amis qui l'ont fait pénétrer dans les milieux d'affaires et, si j'ai bien compris, il amène des acheteurs aux vendeurs, et des vendeurs aux acheteurs. L'affaire faite, il touche un pourcentage des deux côtés. Cela ne semble pas lui rapporter grand-chose mais paraît avoir le mérite de l'amuser follement, ce qui est l'essentiel. En ce moment, il court après un bijoutier grec qui veut acheter des émeraudes, et va le mettre en relation avec un Chypriote qui désire vendre des améthystes. La tractation durera des heures dans le souk des antiquaires et se terminera par des larmes d'attendrissement ou par une double colère. Dans ce cas comme dans l'autre, Marko Markov reviendra à la maison épuisé mais ravi.

— Ne bouge pas d'ici, je te rejoins dès que j'ai fini.

J'incline la tête. Je le regarde dévaler la ruelle à la recherche de son Grec et je tourne sur la droite. Et c'est, comme chaque fois, la surprise d'un silence soudain qui tombe comme une chape.

Je suis dans les jardins de la mosquée Nuruosmaniye.

Toutes les villes du monde, et j'en ai connu de nombreuses, ont une heure qui leur convient mieux que les autres. Pour Istanbul, ce sont les fins languissantes de l'après-midi.

Derrière le silence, que ne troublent que les

134

filets d'eau qui coulent des fontaines, on devine la rumeur lointaine du port. Par les échancrures des murailles, j'aperçois la Marmara, fermée par les îles des princes.

Le chant du muezzin éclate au-dessus de ma tête et, synchroniquement, Niza Ogghouz apparaît et vient vers moi.

Niza est mon amie. Elle habite à trois maisons de la mienne. Elle a dix-huit ans et je l'estime beaucoup. Elle est très belle et possède depuis quelques jours un éclat particulier que seul le bonheur peut procurer.

Je comprends qu'elle soit heureuse : les fiançailles approchent et elle aime Erim, que je n'ai jamais vu.

Nous nous embrassons. Assises sur les marches de pierre, nous bavardons, chacune voulant dire davantage que l'autre. Elle rit et me jure que si je ne joue pas du violon à son mariage, elle m'en voudra toute sa vie. Je viendrai, bien sûr, avec mes frères.

Curieuse histoire que celle de Niza Ogghouz. Il y a quatre mois, son père a réuni la famille, a passé ses doigts dans sa grande barbe de patriarche et a dit :

— Niza, tu es en âge de te marier.

Niza est devenue éclartage, a failli s'évanouir tandis que ses petites sœurs ricanaient dans le couloir, l'oreille collée à la porte.

— Niza, dit le père, connais-tu un garçon sérieux qui voudrait t'épouser ?

— Non, dit Niza.

— Eh bien, alors, a conclu le père, il faut en trouver un. Je m'en occuperai demain.

Après cette remarque judicieuse, il a frotté ses paumes l'une contre l'autre, s'est gratté le dos contre le dossier de son fauteuil et a ajouté :

— Voilà une bonne chose de faite.

Niza n'a pas dormi de la nuit, décidée à traverser le Bosphore à la nage plutôt que d'épouser un des amis habituels de son père, personnages sinistres, toujours de noir vêtus, fourrés en permanence dans leurs livres de comptes.

Mais le père de Niza, un homme qui connaît la vie, s'est adressé à un « shatchun[1] ». Je connais très bien ce « chatroun » : c'est Salomon Bayek, homme minuscule aux yeux inquiets et papillotants, qui se déplace à une telle vitesse qu'il ne se trouve jamais à l'endroit où on l'a laissé et qui casse régulièrement sa tasse de thé chaque fois qu'il vient à la maison.

Salomon a commencé par présenter à la famille Ogghouz un armateur de pêche richissime, de cinquante-trois ans et de cent cinq kilos, qui a achevé de conquérir Niza en lui révélant que son meilleur souvenir avait été le jour où il avait tué quatorze léopards sur le plateau anatolien.

Il a raconté le massacre en détail en avalant l'équivalent d'un demi-tonneau de raki. Puis il s'est mis à genoux devant la mère de Niza en l'appelant « ma petite future fiancée ». Il s'est ensuite écroulé sur le tapis et s'est mis à pleurer des lar-

1. Un marieur (se prononce chatroun).

mes gigantesques en jurant qu'il serait l'an prochain à Jérusalem...

Le shatchun est arrivé à l'introduire dans un fiacre puis est remonté chez les Ogghouz. Il a attiré le père dans un coin et a chuchoté confidentiellement en clignant des paupières à toute allure :

— Mon expérience me porterait à croire que ce mariage, s'il se réalisait, ne serait peut-être pas des plus heureux pour mademoiselle votre fille...

Il avait donc pris de nouveaux contacts et, deux semaines plus tard, présentait aux Ogghouz Erim et sa mère.

Erim avait vingt-deux ans, les dents blanches, le cheveu noir, l'œil de velours, la lèvre rose, la voix charmeuse et le regard éloquent.

Bref, Salomon Bayek avait trouvé la perle rare.

De plus, Erim avait un métier : il était commis en drap dans une maison derrière la mosquée Bleue et serait bientôt commis en chef. L'avenir était donc magnifique et Niza chantait du matin au soir.

Je suis heureuse ici. Quel soulagement avec notre galetas d'Odessa ! La maison est vaste, il y a une cour intérieure avec des fenêtres grillées et je me donne l'impression d'être la favorite du harem.

Le juifs sont nombreux à Istanbul; mais comme ils sont différents de ceux de Russie ! Ils sont joyeux, chamailleurs, embauchent mes frères pour des fêtes qui n'en finissent pas.

Et puis j'ai Niza. C'est ma première amie. Je lui

ai raconté très vite ma grande aventure d'amour sur le *Drovna*. J'en ai même rajouté quelque peu et Niza a dû croire que le jeune mousse avait emporté avec lui mon faible cœur à travers les mers du monde.

Pas de point noir à l'horizon, et puis Istanbul n'est qu'une étape, une fête bariolée, une halte joyeuse avant le grand saut vers l'Amérique. J'essaie d'apprendre un peu d'anglais.

Comme les femmes d'Orient cloîtrées dans leurs sérails, j'ai tenu un journal à cette époque. Je le glissais entre les deux matelas, j'y écrivais des chansons, des contes, des nouvelles où l'on voyait une belle émigrante russe sombrer dans les bras d'un capitaine blond et mélancolique. Je me donnais trente ans, un teint de lis fané et je faisais d'un moussaillon un chef de navire. Après des nuits éperdues, tendres et dramatiques, le capitaine reprenait la mer et elle le regardait s'éloigner, splendide et sanglé dans son uniforme, debout sur la passerelle, tandis qu'elle agitait lentement un voile du sommet de la Corne d'Or. Je sentais mon cœur se déchirer, les larmes venaient et il fallait que je me précipite sur une assiette de yogourt pour retrouver la joie de vivre après ces efforts d'écrivain.

Malgré mes crises romantiques, je m'amusais follement et le mariage de Niza amena dans ma vie beaucoup d'animation.

Il faut dire qu'il y eut pas mal de péripéties.

Alors que Niza, Erim et moi — par affection pour Niza — nous brûlions de mille feux, le père d'Erim rentra de Trébizonde, où il collectait les impôts.

Sa première visite fut pour la famille Ogghouz. Il s'inclina devant la mère, salua la fille, s'assit, but une gorgée de vin de Santorin et demanda d'une voix puissante quel était le montant de la dot. Les femmes battirent en retraite. Niza, la sueur aux tempes, attendit dans le couloir les résultats de la violente discussion dont les éclats perçaient les cloisons. On dut faire venir Salomon, le shatchun, et finalement l'accord fut fait sur une somme qui devait être assez rondelette.

Je me souviens parfaitement du jour des fiançailles, conclusion logique de ces pourparlers et de ces visites.

Nous étions invités en tant qu'amis, et je m'étais acharnée durant des heures à tenter de maintenir en place un chignon qui croulait constamment.

Dès mon arrivée, je trouvai Niza au comble de l'énervement. Elle m'entraîna dans une petite pièce, à l'écart, et se laissa tomber sur un pouf avec une telle détresse que je m'inquiétai. En un souffle, Niza me révéla la raison de son émoi :

— Papa n'a pas l'argent.

Je tombai, du coup, sur le deuxième pouf.

Silam Effendi, le père d'Erim, était célèbre dans tout l'empire de la Sublime Porte pour sa rapacité. Il me parut évident que, s'il n'avait pas la dot, jamais il ne permettrait le mariage.

— Il n'a vraiment pas un sou ?

Niza se mit à pleurer.

— Si, la moitié, mais cela ne sera pas suffisant...

J'appris par la suite que le père de Niza avait écorné la somme en jouant deux nuits de suite avec des Ephésiens qui faisaient le commerce de la limonade sur les marchés du littoral. Je me creusais la cervelle en vain pour essayer de trouver une solution lorsque la voix tonitruante de Silam Effendi éclata jusqu'à nous, suivie de celle, aiguë, du malheureux shatchun qui devait être dans ses petits souliers.

Je laissai Niza à moitié évanouie aux soins de sa mère qui lui faisait respirer dans des fioles à verre biseauté tous les parfums de l'Arabie et j'allai, sans un atome de mauvaise conscience, coller mon œil à la serrure de la salle de réception.

Mon père buvait de la vodka. Le père d'Erim était assis. Il ressemblait déjà à une caisse enregistreuse. Celui de Niza se raclait la gorge avec un air de fausse nonchalance. Quant au shatchun, il n'avait jamais été aussi vite de sa vie : il paraissait littéralement bondir d'un coin de la pièce à l'autre.

— Salomon Bayek, dit Silam Effendi, vous devriez vous asseoir un peu...

— C'est vrai, renchérit M. Ogghouz, asseyez-vous et racontez-nous quelques anecdotes...

Je vis Silam Effendi froncer un sourcil broussailleux.

— Excusez-moi, Ogghouz Bay, mais nous avons à discuter de choses importantes et...

Ogghouz battit des mains, fourragea dans sa

140

barbe et un enfant au maillot aurait compris qu'il aurait donné dix ans de sa vie pour se trouver ailleurs.

— Buvons un peu, Effendi, détendons-nous, nous avons tout le temps...

Salomon se mit à tourbillonner de plus belle.

— Le mariage de deux êtres qui s'aiment est une chose si émouvante, pépia-t-il, qu'à chaque fois j'ai beaucoup de mal à conserver mon calme.

— Justement, coupa le père d'Erim, à ce propos...

— Un peu de raki, proposa Ogghouz, il est très vieux.

Silam Effendi laissa remplir son verre, n'y toucha pas et entra carrément dans le vif du sujet :

— Je suis très satisfait de l'union de nos deux familles et...

Le père de Niza se confondit en politesses, mais, sans se laisser distraire, l'autre poursuivit :

— Et justement il convient que nous réglions au plus vite cette affaire. C'est votre avis, je suppose ?

Ogghouz toussa à perdre l'âme.

— Bien évidemment, bien évidemment.

Il y eut un silence mortel suivi de deux raclements de gorge.

— Il avait été convenu d'une somme...

Ogghouz se frappa violemment le front à trois reprises avec la paume de la main.

— Mais c'est vrai! s'exclama-t-il, où avais-je la tête!

Il réussit à s'extraire un rire qui me fit aussi

peine à voir qu'à entendre et se dirigea vers le
secrétaire comme s'il traînait un boulet de trente
kilos à chaque jambe. Il sortit d'un tiroir une
liasse de billets que, suivant la coutume, il remit
au shatchun. Celui-ci la soupesa, plissa le nez, bou-
gea les oreilles, retroussa les lèvres, cligna des
yeux et la déposa avec respect devant le futur
beau-père de Niza...

Silam l'examina en connaisseur et ne se donna
même pas la peine d'y toucher.

— Il en manque, dit-il.

Cet homme devait être capable de repérer
l'absence d'un kurus dans un sac contenant
3000 livres turques.

Je vis Ogghouz étreindre frénétiquement sa
barbe comme si elle était un radeau sur une mer
démontée·et, finalement, il baissa humblement la
tête.

— C'est vrai, Effendi, il en manque la moitié.

Les yeux de Salomon allaient de l'un à l'autre.

Pesamment, Silam Effendi se dressa.

— En ce cas, articula-t-il, je n'ai plus qu'à me
retirer.

Je crus que tout était perdu et je m'apprêtais à
battre vivement en retraite pour ne pas me faire
surprendre lorsque mon père intervint pour la
première fois.

— En tant qu'ami, dit-il, je me permets de vous
dire, Silam Effendi, que vous faites bon marché
du bonheur de deux jeunes gens et...

L'interpellé voulut l'interrompre, mais on n'ar-
rêtait pas plus Marko Markov lorsqu'il parlait que

142

lorsqu'il fonçait sur les moujiks antisémites une canne plombée à la main. Il parla du changement des mœurs, des nouvelles coutumes, de la vie chère, de la possibilité du crédit, de la beauté de Niza, de la déception d'Erim, de son désespoir, de son suicide probable, de deux vies brisées, misérables, tout cela pour quelques malheureux rectangles de papier; bref, il fut étincelant. Un taureau se serait laissé convaincre. Lorsqu'il s'arrêta, hors d'haleine, Silam, qui s'était assis, se releva.

— Je me retire, dit-il.

Le malheureux shatchun poussa un gémissement. C'était un brave homme et sa commission lui échappait.

— Une *mitswa* [1], Effendi, une toute petite *mitswa*.

Silam enfila ses gants et se dirigea vers la porte.

Je vis mon père bondir sur ses pieds et sa poitrine sembla doubler de volume. Je compris qu'il allait tenter la dernière chance.

— Si vous voyez la totalité de l'argent, dit-il, est-ce que le mariage se fait ?

Silam s'arrêta pile.

— Oui, dit-il fortement.

Mon père prit la liasse, traversa la pièce et se dirigea vers une vieille commode surchargée de bibelots. Il déplaça deux statuettes, un vase faussement étrusque et déposa les billets sur le marbre.

1. Bonne action.

143

La commode était située devant une gigantesque glace.

Il y avait à présent deux paquets de billets, un réel et son reflet.

Silam Effendi eut un sursaut. Il ouvrit la bouche et je crus qu'il allait hurler.

Lentement, son expression changea et pour la première fois j'eus l'impression que cet homme était capable de rire.

Il se retourna vers mon père et ses yeux se rétrécirent.

— Vous êtes un homme d'affaires, Marko Bay, dit-il doucement, vous avez le sens de l'illusion.

Ogghouz et le shatchun eurent dans l'œil une étincelle d'espoir. Tous étaient suspendus aux lèvres du père d'Erim.

— Je n'ai qu'une parole, dit-il, ce mariage se fera.

Salomon poussa un cri d'oiseau prenant son vol un matin de printemps et Silam se tourna vers lui.

— Pour vous montrer cependant que moi aussi je m'y connais un peu en affaires et que je sais de temps en temps accomplir une *mitswa,* j'invite Salomon Bayek à prendre sa commission sur la partie de l'argent qui est dans la glace, et ne vous plaignez pas : c'est la part de l'amour.

Ils se mirent tous à rire, sauf Salomon.

C'est ainsi que toute une nuit je jouai du violon pour le mariage de Niza.

Je reçus bien des années plus tard une lettre d'elle alors que j'étais à Vienne. Elle était heureuse, avouait avoir beaucoup grossi et avoir mis à cette époque sept enfants au monde. Je suppose que d'autres ont suivi par la suite et que, vieille dame stamboulotte, elle se souvient encore de la petite juive russe qui l'attendait presque chaque jour dans les jardins silencieux de la mosquée Nuruosmaniye, et avec laquelle elle parlait de son bel Erim tandis que tombait la nuit et que les lampes faisaient briller les céramiques de la mosquée ottomane.

Je suis de plus en plus jolie.

C'est un fait qui m'apparaît indubitable chaque fois que je me regarde dans le miroir de poche que Boris m'a acheté pour mon dernier anniversaire dans un des recoins du Grand Bazar.

J'ai des admirateurs. Ephraïm Tambouris, en particulier, flageole de tous ses membres grêles dès qu'il m'aperçoit. Pendant les deux jours qu'a duré le mariage de Niza et d'Erim, il ne m'a pas quittée d'un pouce; il a parcouru la ville en courant à toute allure pour me rapporter une corde à violon.

Cela m'attriste un peu, car ce grand dadais pâlichon, boutonneux et bégayeur ne se déclarera jamais. Fatiguée de le voir tourner autour, je lui ai dit :

— Ephraïm, faites-moi la cour.

J'ai cru qu'il allait tomber par terre de saisissement et je lui ai versé un verre d'eau. Plus exactement, j'ai cru que c'était de l'eau. Il l'a bu d'un trait et... s'est écroulé : ce garçon ne supporte pas la vodka pure.

Involontairement débarrassée d'Ephraïm, le frère cadet d'Erim m'a entraînée entre deux valses à l'autre bout de la maison pour me montrer des bijoux de Damas qu'il considère comme très précieux.

Une fois arrivé dans une sorte de boudoir obscur, il s'est jeté sur moi, a fourré son nez dans mon cou, m'a paralysée par une prise qu'il avait dû voir porter par ces lutteurs qui s'exhibent presque nus, le crâne rasé, sur les places publiques, et nous nous sommes écroulés sur un sofa.

J'étais très ennuyée quelques secondes après de lui avoir fait une aussi grosse bosse. Son front était tout bleu et j'ai pensé que j'avais eu tort de frapper avec le talon ferré de ma chaussure. Mais il l'avait tout de même bien cherché !

Les jours passent. Niza et Erim sont partis. Ils habitent une petite maison près de Roumeli Hisor, à proximité des murailles du château, et, comme je n'ai plus d'amie à présent, j'accompagne mon père plus souvent dans ses tractations interminables.

Le matin, je m'exerce avec Yanni, Isaac ou Boris. Mes deux grands frères sont très occupés. J'entends parler de plus en plus souvent de passeports, de visas... Je ne suis pas trop inquiète : encore un mois de répétition, peut-être un peu moins, et je pourrai tenir ma place honorablement dans l'orchestre. Je ne mourrai jamais de faim tant que l'espèce humaine aimera la musique.

Trois heures. Istanbul cet après-midi est gris et rose. Il a plu un peu, mais un soleil pâle colore les toits et les façades. Sur le port, les incrustations argentées à la proue des caïques brillent doucement. Il sera dur de partir, j'aime l'Orient, cette douceur de vivre.

— Anna !

La voix forte de mon père interrompt ma rêverie.

— Tu veux venir ? Je vais voir Azim Hodja...

J'enfile mon châle, expédie mes mules sous mon lit et enfile des bottines. Cette mode est horripilante, j'ai trente boutons à chaque jambe.

Marko s'impatiente en bas, mais me voici.

Pour me faire pardonner de l'avoir fait attendre, je glisse mon bras sous le sien et nous voilà partis à travers la foule vers les escaliers qui mènent au quartier bas.

Ai-je dit suffisamment ce qu'était Marko pour moi ? Bien des années sont passées et je n'ai aucun effort à faire pour retrouver son visage, ce grand sourire qu'il tournait vers moi. Je le trouvais grand, beau, fort, tendre... Que dire de plus ?... Je l'admirais de toute mon âme, rien ne pouvait m'arriver avec lui et je ne pense pas qu'une seule fois nous nous soyons disputés. Il aimait rire, boire, se battre et chanter faux, il aimait la vie et, dans sa vie, je pense avoir beaucoup compté. Je sais qu'il a compté énormément dans la mienne et

147

je n'ai jamais aimé un homme comme j'ai aimé mon père Marko Boronsky.

Il se frotte les mains en descendant à grandes enjambées tandis que j'arrive à peine à le suivre.

— J'ai un acheteur, dit-il; si je réussis cette affaire, tu auras du yogourt jusqu'à la fin de tes jours, tu pourras même te baigner dedans.

Tout en se frayant un chemin entre les portefaix, les mendiants, les gosses en loques, les camelots, les charrettes, les piétons pressés, il me met au courant en quelques phrases rapides. Azim Hodja a reçu un arrivage de tapis caucasiens, persans et même chinois; sur le lot il y en a deux anciens, XVIe ou XVIIe siècle. Il a chargé mon père de trouver un acheteur et ce matin, sur le port, Marko a déniché la perle rare : un Français, commerçant à Marseille, qui serait très intéressé. Un dénommé François Cartoufle. Les Français ont de drôles de noms !

Dans le gigantesque hall de l'hôtel Ahmet, je me sens brusquement intimidée. Les femmes, ici, sont extraordinairement poudrées, sentent extraordinairement bon bien longtemps après qu'elles sont parties et leur chignon ne doit jamais bouger d'un millimètre. Les hommes se tiennent très droits et les militaires chamarrés portent des corsets qui les empêchent de se baisser. Ils n'en ont nul besoin, d'ailleurs, car si par inadvertance ils laissent tomber leur porte-cigarettes, ou si une de leurs décorations se décroche, il y a vingt laquais qui se précipiteront avec ensemble.

Près du bar, un homme sourit longuement à

notre arrivée et serre la main de mon père avec enthousiasme.

C'est Cartoufle.

Il est tout en blanc, des pieds à la tête; il n'a qu'une seule tache rouge sur lui : un rubis sur sa large cravate; ses guêtres sont neigeuses.

Père me traduit les compliments dont le Français m'abreuve et nous montons en calèche. Azim Hodja habite à l'autre bout de la ville, derrière Sainte-Sophie.

Son magasin est immense, surchargé de cette odeur étouffante que dégagent des tapis de haute laine entassés sur trois étages. Il y en a partout : à terre, le long des murs, entassés, roulés, et, bien sûr, on commence à parler de tout, sauf de l'affaire.

Nous buvons du thé à la menthe. Azim offre des cigarettes anglaises, une servante apporte des plateaux de figues, de raisins secs, de graines de pastèque, de poissons salés et je suis en train de prendre une indigestion de lokoums parfumés à différentes essences. Pendant une bonne demi-heure, acheteur et vendeur se congratulent sur leurs bonnes mines réciproques, s'interrogent sur l'état de leur santé, sur celle de leurs enfants, et le Hodja qui en a quatorze n'en oublie aucun, de l'aîné qui est marchand en gros sur les bords de l'Euphrate jusqu'au petit dernier qui vient d'avoir sa deuxième dent qui le fait bien souffrir.

Après avoir mangé, bu, et au moment où j'ai l'impression que la visite va prendre fin, la conversation tombe incidemment sur les tapis.

Cartoufle examine avec une absence totale d'intérêt un lot de superbes pièces. Je n'y connais rien, mais leur beauté me ravit : les couleurs sont éclatantes et, au milieu de la violence des tons de superbes caucasiens, les pastels bleutés des tapis de Tien-tsin sont d'une grande douceur. A présent, les politesses sont finies. Les deux adversaires jettent des chiffres, lèvent les bras au ciel, semblent prêts à s'étrangler. Ils piétinent, reviennent, Azim cite le Coran, jure sur Mahomet, déclame des versets entiers et le Français, la main sur le cœur, semble devoir tomber raide mort.

L'affaire ne se fera jamais. Ça y est, c'est raté, je ne me baignerai pas de sitôt dans le yogourt.

Mon père tend soudain son index vers Azim Hodja.

— Je pense que tu as tort de refuser cette offre, qui me semble très raisonnable. Vois-tu, quand nous aurons franchi le seuil de cette boutique, tu pourras considérer que tu viens de payer cette marchandise le prix que nous t'en offrons à l'instant. Es-tu acheteur à ce prix ?

Le Hodja reste quelques secondes interloqué, et ses cellules grises fonctionnent à plein rendement, cherchant la faille du raisonnement.

— Je suis un vieux marchand, finit-il par murmurer, j'en ai entendu de toutes sortes dans ma vie, mais voilà une chose à laquelle je n'avais jamais pensé. C'est vendu.

Après avoir chargé les tapis dans la calèche et touché la commission, mon père et moi, nous nous précipitons dans les souks, où j'achète toute une foule de cadeaux, des foulards brodés pour ma mère, de la cire à moustache pour Avram, un briquet d'amadou pour Boris, des cravates pour Max. Mon père rit de me voir prise d'une telle frénésie. Il achète, lui, du raki, du vin français, des gâteaux et, les bras surchargés, il se penche vers moi :

— Et pour toi, Anna, tu ne t'achètes rien ?

Je n'y avais pas pensé, l'idée ne m'en était pas venue.

Comme je lui dis que je n'avais besoin de rien, il me fit entrer chez un marchand de tissu et m'offrit une splendide cotonnade pour une robe d'été... que je ne devais jamais porter.

En rentrant joyeusement à la maison, nous ignorions l'un et l'autre que quatre jours plus tard nous quitterions Istanbul.

Nos visas étaient périmés et l'administration turque ne transigeait pas : les délais ne seraient pas prolongés. Il n'était évidemment pas question de renouvellement.

CHAPITRE II

Et, de nouveau, nous avons fait nos valises.

Si ce départ ne fut pas pour moi ressenti avec le même déchirement que celui de mon village natal, s'il ne fut pas aussi précipité et dramatique que celui d'Odessa, je laissai un peu de mon cœur accroché au coin de la Corne d'Or et, dans les jours qui précédèrent mon départ, je suivis avec mélancolie les rives du Bosphore sur lesquelles tombait une pluie fine : la pluie des départs.

J'étais bien jeune alors. Il y avait en moi de l'insouciance à très haute dose, mais je savais que je ne reviendrais jamais dans ces lieux vivants et colorés et, même si New York m'offrait l'animation de ses rues et de ses avenues, je ne retrouverais pas la couleur des dômes, des coupoles, et la misère chatoyante et bruyante des ruelles des vieux quartiers. La misère peut s'affubler du masque du pittoresque.

Il n'est pas drôle d'être une jeune émigrante; j'avais envié les filles de mon âge qui avaient leur vie dans ce pays et n'en bougeraient jamais.

Bien sûr, je m'efforçais devant ma famille d'être toujours l'Anna qu'ils attendaient. Je chantais, je les faisais rire, je simulais l'enthousiasme de ce départ et je parsemais mes bavardages de jurons turcs captés lors de mes vagabondages dans le quartier des pêcheurs et des marins, mais je n'étais pas si heureuse que je le paraissais.

Je me demandais si un jour je m'arrêterais, si un jour j'aurais enfin une maison dans laquelle je pourrais demeurer tout le restant de ma vie sans être obligée d'en partir une fois encore.

Ces derniers jours furent longs pour moi, malgré l'animation des départs, malgré les bagages. Nous allions continuer notre course vers l'ouest, nous enfoncer vers l'Europe, gagner des pays dont j'ignorais tout.

Ephraïm vint nous faire ses adieux. Mon échalas d'amoureux était dans un état lamentable, ses yeux de merlan frit me contemplaient avec un désespoir qui me toucha et m'exaspéra à la fois. Pour secouer la tristesse qui me gagnait, je lui jouai une mazurka endiablée et, avant de partir, je grimpai sur un petit banc et je l'embrassai tumultueusement pour lui laisser un souvenir.

Décidément, mon destin semblait être d'embrasser des hommes trop timides pour le faire et cela commençait à me peser de ne pas trouver de jeunes gens plus entreprenants.

Ephraïm en resta pantois. Il était toujours les bras ballants, les yeux exorbités, lorsque je m'éloignai. Je me suis demandé parfois s'il n'était pas resté ainsi, figé pour l'éternité par la surprise.

Je rendis visite à Niza, pleurai de tout mon cœur dans son giron, et Salomon le shatchun vint lui aussi nous saluer. Il me serra longuement les mains et, d'une voix plaintive, me confia que si j'étais restée quelque temps encore à Istanbul il m'aurait trouvé un mari exceptionnel avec lequel j'aurais été parfaitement heureuse. Il ajouta même que j'étais si jolie et qu'il me trouvait si sympathique qu'il ne m'aurait pas demandé une demi-piastre pour réaliser l'opération.

Je le remerciai, ajoutai que je regrettais amèrement de ne pas être mariée par ses soins mais que la vie était ainsi faite que l'on ne réalisait pas toujours ce que l'on voulait. Nos adieux étaient faits. C'était fini.

Je regardai une dernière fois la nuit tomber sur Istanbul, couvrir peu à peu l'ancienne église Saint-Irénée et je m'expédiai deux gifles sonores, car je sentais encore une fois les larmes couler sur mes joues; je me transformais en fontaine depuis quelque temps. Je me surpris un moment à me pencher par la fenêtre et je vis presque sous notre porche un couple étroitement enlacé. Je perçus quelques plaintes, reniflements et chuchotements et, en scrutant avec attention, je reconnus Boris. Je ne connaissais pas la fille — ce devait être l'une de ses nombreuses conquêtes.

Comme ils stationnaient juste au-dessous de moi, l'idée me traversa un instant de leur offrir une ondée bienfaisante à l'aide de mon arrosoir pour géraniums. Un scrupule me retint. Après tout, c'étaient leurs derniers moments, ces deux-là s'aimaient peut-être et je les enviai un moment.

Lorsque, le lendemain, je me trouvai seule quelques instants avec Boris, je lui dis :

— Tu ne regrettes pas un peu de partir ?

Il sifflotait joyeusement et acheva de redresser la pointe de ses moustaches.

— Non, dit-il avec un naturel parfait. Pourquoi ?

Je résolus d'aller un peu plus loin :

— La petite dame d'hier soir avait l'air de regretter, elle...

Il me jeta un regard torve.

— Tu m'espionnes ?

Il rangea soigneusement son fer à friser, m'envoya une tape amicale sur l'épaule et s'éloigna en déclarant :

— Ma mignonne, il y a des femmes partout.

Je soupirai. En voilà un que ses connaissances ne devaient pas être obligées d'embrasser de force.

Le dernier repas fut pris debout. Je fis la vaisselle avec ma mère et rangeai les assiettes sur la crédence sous l'œil inquisiteur de la propriétaire, une Libanaise décharnée qui surveillait chacun de nos gestes de peur de nous voir partir en emportant les petites cuillers.

Je m'installai dans le train, fermai les yeux, un gros cabas bourré de victuailles sur les genoux, et je mordis dans une pomme tandis que le convoi s'ébranlait vers notre prochaine étape : Budapest.

LIVRE IV

CHAPITRE PREMIER

Mathias Renfeld pose sa baguette et se casse en deux sous les applaudissements. Ses cheveux gris retombent sur son front et il les ramène en arrière d'une main nerveuse avant de s'incliner de nouveau. Derrière lui, les musiciens se sont dressés et saluent à leur tour.

Ça va être à nous.

Comme chaque fois, je sens mon cœur battre. Je ne devrais plus avoir le trac pourtant depuis trois mois, mais c'est plus fort que moi. Yanni trépigne, les manches bouffantes et rouges tremblent, malgré la gomina (il en use presque un pot par soirée) son épi commence à se dresser sur le sommet de son crâne, après quelques mesures il sera érigé en plumet, et à chaque fois cela me donne envie de rire.

Comme chaque soir, la salle est pleine. Sous les lumières éclairées un bref instant, les ors, les dorures, les statues étincellent de mille feux. Qui aurait dit que la petite paysanne de Kezat jouerait devant un tel auditoire ?

Toute la grande bourgeoisie de la ville est là. Les couples ont quitté leurs palais baroques des bords du Danube pour venir boire du vin de Tokay noir et épais comme de l'encre et dont la moindre goutte me fait tourner la tête.

Boris m'enfonce son archet dans les côtes et me désigne, par l'entrebâillement des rideaux écarlates, un gros homme assis seul à l'une des tables les plus proches de la scène.

— Tu auras encore tes roses ce soir, chuchote Isaac.

C'est la plaisanterie traditionnelle depuis quinze jours.

Il s'appelle Szolnok et possède d'immenses terres riches qui s'étendent entre le lac Balaton et les abords de la frontière yougoslave. Toute une population de paysans travaille pour lui. Il est l'un des plus importants fournisseurs de blé de l'empire austro-hongrois.

Et c'est de ce personnage si important que la petite Anna Markov, violoniste tsigane, reçoit chaque soir un bouquet de roses aux pétales de velours, au parfum si violent que je soupçonne le Szolnok en question de les faire arroser de lotion de coiffeur avant de les envoyer.

Je sais qu'il ne va pas me quitter des yeux pendant que je jouerai. Je m'efforce bien entendu de ne pas le regarder, mais la raie blanche qui sépare exactement au milieu de sa tête ses cheveux en deux touffes égales me fascine malgré moi.

Renfeld, le front emperlé de sueur, vient vers nous alors que la salle applaudit encore.

— C'est à vous, les enfants, après l'annonce...

Ses yeux me sourient. J'aime bien Mathias Renfeld. C'est le meilleur musicien que je connaisse. Il peut jouer de n'importe quel instrument mieux que personne et ne se met jamais en colère durant les répétitions.

En un costume magyar d'opérette, blanc et argent, l'annonceur apparaît dans le cercle lumineux du projecteur.

— Et maintenant, voici...

Il fait languir le public, prend l'air malin, tend le bras dans ma direction tandis que mes mollets faiblissent, et soudain les mots éclatent :

— Anna et son orchestre !

Boris me pousse et nous bondissons dans la lumière, mes lèvres figées en un sourire qui dissimule ma terreur.

J'entends sur la gauche mon marchand de blé applaudir à tout rompre.

Frémissant, Boris chuchote :

— Un, deux, trois...

— En avant !

Déjà mes doigts courent sur l'archet. C'est la *Csardas* de Milosvick, Yanni à la flûte, Isaac au tambourin, Boris et moi au violon.

J'adore cet air, au rythme tourbillonnant, échevelé ; je vois des armées de chevaux noirs lancés à toute allure à travers la puszta, la grande plaine hongroise, puis l'arrêt net, brutal et le lent et triste trémolo acide de la flûte qui s'élève dans le silence soudain, comme la supplique aigrelette d'une âme perdue dans les brouillards que j'accompagne de lentes notes qui tombent une à une comme des larmes. Et puis cela s'accélère. Il semble que le courage revienne à la pauvre voix aiguë de la flûte, qu'elle se mette à danser, à tourner de plus en plus vite, et nous voilà déjà repartis dans une folle chevauchée que Yanni rythme du plat de la main. Tout s'arrête et ce sont les applaudissements qui crépitent. La sueur coule dans mon dos. Je n'ai plus peur à présent; mon sourire est un vrai sourire; je suis grisée par le plaisir que nous venons de procurer.

Décidément, je me sens vraiment à l'aise dans la peau d'une vedette. Je suis, hélas ! bien loin d'en être une, mais j'ai l'impression que chaque soir je progresse.

Anna et son orchestre ! Anna et son orchestre !

L'idée est de Renfeld. Il dirige trois orchestres, qu'il fait tourner dans les grands cafés-concerts de la ville et dans l'établissement thermal — il a même dirigé la *Cinquième Symphonie* devant la famille royale — et, en plus de ses talents de maestro, il est un homme d'affaires brillant. Je pense qu'on aurait dit aujourd'hui de lui qu'il a le sens de la publicité et de la promotion.

— Les femmes en orchestre sont rares, a-t-il déclaré, nous allons donc donner un nom de femme à l'orchestre !

Je ne voulais pas accepter, mais tous s'étaient ligués contre moi et c'est ainsi que la chose s'était faite.

Hier, j'étais passée sur le pont de chaînes qui relie les deux parties de la ville lorsqu'une jeune femme m'avait couru après, m'avait demandé si j'étais bien Anna et m'avait félicitée. Je devais être rouge de fierté. Mathias a vraiment de bonnes idées !

Comme les choses sont allées vite depuis Istanbul !

Il y a eu ce voyage interminable, ces forêts, ces plaines qui n'en finissaient pas, grises, plates, démoralisantes... Quelques fermes basses tous les cinquante kilomètres sans jamais une seule présence humaine, sinon près de Novi Sad un enfant juché sur un attelage de bœufs et qui nous a regardés passer, immobile, noyé au milieu des herbes longues de la steppe comme une barque sur la mer. Et puis ce fleuve gigantesque aux berges dénudées : le Danube, une image liquide de l'éternité et de la tristesse.

Je frissonnais derrière la vitre tandis que la pluie tombait sur l'Europe centrale.

Et puis, abruptement, sans transition, ce fut Budapest, l'immense capitale où toute la vie de la Hongrie semblait s'être concentrée, le château royal, les églises, les palais, le bastion des pêcheurs et, à la gare, l'encombrement des fiacres, des omnibus à chevaux, la gentillesse de Renfeld venu nous accueillir, baisant la main de ma mère, la mienne, et enfin le repas dans la vaste demeure du maître, aux confins de la ville, dans l'avenue Sigismond, derrière l'Académie. Dans la grande salle à manger, où une collation nous avait été servie, je serrais toujours contre moi mon sac de victuailles cependant vide tandis que, morte de sommeil, je regardais évoluer la femme du chef d'orchestre, Irène Renfeld, une splendide créature à la ligne sinueuse et galbée, à la voix de contralto. Je m'endormis au moment où elle racontait à mon père qu'elle avait chanté *la Norma* à Londres et à Milan.

Je fus portée dans une chambre dont les murs étaient surchargés de portraits de messieurs fort sérieux aux cols hauts et durs. Je sus par la suite que c'était des compositeurs. L'austérité de leur visage et de leur tenue faillit me dégoûter de la musique.

J'appris avec surprise le lendemain que cette maison serait la nôtre.

Mathias Renfeld était un curieux personnage. Des tas de gens circulaient chez lui, y dormaient, repartaient; c'était une véritable pension de famille — on dirait aujourd'hui une communauté. Il nous fit auditionner trois minutes l'un après l'autre, secoua ses cheveux et dit :

— Max et Avram, au Casino, j'ai besoin de deux seconds violons; les autres, vous allez composer une formation qui passera entre les gros numéros.

C'était un peu décevant, mais mon orchestre était né.

Renfeld avait une quarantaine d'années. Il était fort séduisant. On disait que des dames aux voilettes épaisses et à la voix troublante le poursuivaient jusque dans sa loge. Il ne se démontait pas. Il demandait si le concert leur avait plu et les engageait vivement à apprendre le solfège, l'harmonie ou le contrepoint. Puis il rentrait retrouver sa cantatrice, que je trouvais désagréable de prétention mais qu'il semblait adorer.

J'étais heureuse, différemment qu'à Istanbul. Ici c'était le tourbillon, la musique, les mondanités. J'avais l'impression de ne pas arrêter de changer de robes, de costumes de scène. Je devenais mondaine et cela était normal. Je recevais des roses et l'on m'invitait quelquefois avec mes frères à boire du champagne français. Un soir, je dus en prendre plusieurs coupes sans faire attention, toute à ma discussion avec un lieutenant fringant qui avait enfermé mes mains dans les siennes et me racontait un de ses duels au sabre avec le commandant d'un régiment voisin, lorsque je me retrouvai, échevelée, sur le dos de Boris, en train de chanter à tue-tête *Quand Pétia vient au marché*. Il paraît que j'avais également voulu danser une danse cosaque avant de m'écrouler, vaincue. J'avais le lendemain une migraine abominable et la peur que Mathias n'apprenne ma mauvaise conduite, mais il avait énormément ri et n'était pas fâché du tout.

Le lieutenant fringant s'appelle Milos. Il est revenu aujourd'hui à la maison et a demandé l'autorisation de m'emmener pour une promenade.

Nous ne sommes pas plus tôt arrivés au bout de la rue qu'il claque des talons.

— Dans deux ans je serai capitaine; en tant que fils aîné de la famille, je suis l'héritier d'un domaine de trois cents hectares. Je vous achèterai une maison dans la capitale, vous aurez des domestiques et vous serez ma femme.

Je le regarde, ahurie.

— Mais, Milos, je vous connais d'hier au soir!

— Mon père, le général Czabor, m'a appris à ne jamais hésiter.

— Mais, Milos...

— Voulez-vous être ma femme?

— Mais...

— Oui ou non?

— Il ne m'est pas possible de...

— Oui ou non?

Je respire un grand coup:

— Non!

Milos serre les dents et ses yeux rétrécissent. Il ressemble à un chat hérissé.

— Donc, vous en aimez un autre!

— Absolument pas, je...

— Son nom?

— Quel nom?

— Son nom?

Je lève le ton:

— Mais enfin de quel droit...

Il se met à crier. De l'autre côté de la rue, une femme s'arrête et nous regarde.

— Le lieutenant Milos Czabor ne se laissera pas tourner en ridicule, j'exige que...

Du coup, je hurle:

— Vous n'avez rien à exiger! Vous m'avez parlé une demi-heure dans toute votre vie et vous allez me ficher la paix.

Le lieutenant explose littéralement. Il est rouge

166

comme le mur de brique, il va dégainer son sabre et me couper la tête sur-le-champ.

— Saltimbanque! brame-t-il, vous êtes une saltimbanque, une bohémienne!

Mes épaules heurtent le mur et l'officier avance sur moi. Ma dernière heure est venue. Dieu soit loué, j'ai mon ombrelle!

Je redeviens d'un coup la fille de Marko l'assommeur de cosaques et, si un régiment de Tartares fonçait sur moi à bride abattue, je ne bougerais pas d'un pouce.

— Voilà de la part de la bohémienne!

Mon ombrelle siffle dans l'air. Si le lieutenant Milos Czabor, du 3ᵉ hussards de la Garde, n'est pas devenu borgne ce jour-là, il le doit à une très exceptionnelle rapidité de réflexes.

J'ai vu qu'il allait dégainer et me pourfendre, mais je ne sais s'il eut le sentiment d'être brusquement ridicule ou s'il éprouva soudain la crainte de se battre en duel avec une jeune fille armée d'une ombrelle, et je réussis ce jour-là à mettre un hussard en fuite.

Oui, nous sommes heureux à Budapest. Avram s'est fiancé avec Amélie Zoster, une Slave blonde aux yeux changeants qui est très vite devenue mon amie. La famille va donc s'agrandir, tant mieux... Le seul inconvénient est que nous nous voyons peu. Avram et Max jouent à l'autre bout de la ville et partent quelquefois en tournée.

Le ciel est sans nuages, tout au moins je pensais qu'il l'était jusqu'à cette journée d'août de l'année 1908 où le malheur allait surgir de nouveau...

Il y a eu beaucoup de rappels hier soir. Une tablée d'officiers n'a cessé de nous ovationner, ce qui nous a obligés à bisser pratiquement notre numéro. Rentrée tard, j'ai dû aider maman à faire les comptes et je suis tombée épuisée sur mon lit vers trois heures du matin.

J'étais si fatiguée que j'ai omis de tirer les rideaux et, vers cinq heures, le soleil de Budapest est entré dans ma chambre et m'a fourré un rayon dans l'œil.

Impossible de me rendormir. Je me tourne, me retourne et, en désespoir de cause, je me lève et décide d'aller me faire du thé.

Je descends. Au moment où je tourne l'angle du couloir, je vois le loquet de la porte de la chambre de Boris tourner doucement — un rire de femme bas et bref se fait entendre. Suffoquée d'indignation, je m'arrête et me cache derrière la tenture. Boris! — mon frère! — n'hésite donc pas à faire venir des filles chez le maître Mathias Renfeld! Malgré ses sourires, son charme, sa manière de prendre tout en plaisantant, je sens que je ne vais pas l'épargner. Je lui dirai ce que je pense de sa conduite!

La porte s'ouvre.

Je risque un œil. Je vois sortir, vêtue d'une rose et vaporeuse chemise, l'interprète de *la Norma*, la cantatrice internationale, la rivale de la Nelba, bref : Mme Mathias Renfeld soi-même!

Elle glisse sur les tapis et disparaît dans une chambre qui, je l'espère, est cette fois la sienne.

168

La colère me fait trembler. Cet imbécile de Boris peut nous faire tous mettre à la porte, mais ce n'est pas à cela que je pense : comment peut-il tromper, sous son propre toit, cet homme si bon, si plein de talent, cet homme qui nous procure travail, conseils, logement, tout cela pour coucher avec cette oie prétentieuse, pas fichue de sortir un contre-*ré* sans faire hurler à la mort tous les chiens du quartier ? Plus question de thé, je vais parler à Boris.

Il dort comme un sonneur, mais deux coups de poing dans les côtes suffisent à le réveiller et à le dresser sur son séant.

— Mais, Anna, tu es folle ?

Il me regarde, abasourdi, et va pour protester. Je ne lui en laisse pas le temps. Tandis que je l'abreuve de reproches chuchotés, il bâille, cherche des cigarettes, joue les excédés. Hors de moi, je lui lance le dernier argument que je puis trouver :

— Tu devrais avoir honte de prendre la femme de Renfeld surtout parce qu'il l'adore..., cela se voit quand il lui parle, quand il la regarde...

Boris baisse la tête, allume sa cigarette et me jette un œil rapide.

— Tu as raison, petite sœur, ce que nous faisons n'est pas bien beau, mais... il y a des choses que tu ne peux pas comprendre...

Voilà le genre de réflexions qui me met particulièrement en colère.

— Qu'est-ce que je ne peux pas comprendre ? Si tu veux dire par là que je suis idiote...

Il hoche la tête et le ton qu'il prend pour me répondre est si profondément triste que je me rends compte que pour Boris Markov les choses sont plus sérieuses que je ne le pensais.

— Je ne veux pas dire cela, Anna, simplement, je sais très bien qu'il ne faudrait pas que les choses continuent avec Irène, mais je ne peux pas faire autrement.

Il a prononcé ces derniers mots avec un tel désespoir que j'en reste interdite.

Je réfléchis et c'est presque timidement que je lui demande :

— Vous vous aimez ?

Il hausse les épaules et se gratte la tête.

— Je ne sais pas très bien, je...

J'interviens impétueusement :

— Moi, si j'aimais un homme, je m'en rendrais parfaitement compte, je peux te l'assurer.

Il rit et pose les mains sur mes épaules.

— Viens, on va se faire un thé tous les deux, nous ne dormirons pas plus l'un que l'autre.

Et voilà, il m'a eue, comme à chaque fois. Il a l'art de se faire pardonner et je ne lui en veux plus du tout tandis qu'il verse du thé dans ma tasse, mais je sais qu'à présent je vais vivre dans l'attente d'un drame, je vais craindre que Mathias ne les surprenne. Mon Dieu ! cela serait horrible, je ne pourrais pas supporter de voir souffrir cet homme...

Plus tard, l'heure du repas s'écoula trop lentement. Je n'avais qu'une envie : celle de me retrouver de nouveau dans mon lit. J'envisageais de faire une bonne sieste pour me remettre de ces émotions lorsque, au dessert, Mathias frappa dans ses mains avec énergie.

— Anna, Boris, Yanni, Isaac, au salon dans cinq minutes, on répète.

Je tentai de regimber, mais, lorsque Mathias parlait musique, il devenait un personnage différent.

— Répéter est une chose nécessaire, mademoiselle Markov, dit-il doctement, de plus vous allez déchiffrer une nouvelle partition : une tarentelle croate de Serguemiez.

Il n'y avait plus rien à dire et nous répétâmes jusqu'à six heures du soir.

Je regardais Mathias, en gilet, manches retroussées, en sueur, s'acharnant à synchroniser les attaques, à régler les temps, et je ne pouvais m'empêcher de penser que nous trompions cet homme, que s'il savait ce qui se passait chez lui, peut-être se jetterait-il du haut du toit ou se tirerait-il une balle dans la tête comme les amants de Mayerling. La Hongrie est un pays de suicide, de désespoir et d'amour. « Nous allons connaître tous les déchirements de l'âme slave », me disais-je.

— Anna, à quoi rêves-tu ?

Je sursaute, murmure une excuse. Je m'efforce de me concentrer sur ma partition.

Nous jouons encore et, finalement, Mathias Renfeld condescend à nous rendre notre liberté.

Comme je range mon violon, la belle Irène entre.

— Vous avez terminé ?

Sa voix de gorge roule dans la pièce. Je dois dire que je comprends mon frère : cette femme est splendide, mais elle me déplaît souverainement, il y a en elle quelque chose de trop méprisant dans le port de tête.

Mathias lui tend la main et dépose sur le front de sa femme un baiser qui me fait blêmir : il doit l'adorer. S'il sait quelque chose, s'il s'en doute seulement, ça va être affreux.

La journée si mal commencée ne se termina pas mieux. C'est étrange comme le sort, lorsqu'il frappe, aime doubler ses coups.

Je finissais de jouer et je regagnais ma loge pour quitter mon costume tsigane lorsque je me heurtai, dans la coulisse, à Amélie, la fiancée d'Avram. Tout de suite, je compris que quelque chose était arrivé.

— Tu t'es disputée avec Avram ?

— Non, il n'a pas terminé le concert ce soir.

— Pourquoi ?

— Il ne se sentait pas bien... Je crois que...

Elle hésitait à continuer et, comme je l'encourageais, elle finit par avouer :

— Il a craché le sang dans la voiture, le cocher a dû arrêter.

Elle vit sans doute que je changeais de visage, car elle se hâta de me rassurer :

— Juste un peu dans mon mouchoir. Ce ne doit pas être bien grave, mais je suis venue te prévenir pour que tu m'aides à l'obliger à se reposer... Moi seule, je n'y arrive pas.

Je m'assis, les genoux sans force. Mes mains tremblaient. Les doigts d'Amélie pétrissaient un mouchoir, elle avait relevé sa voilette et je pouvais voir à la rougeur de ses paupières qu'elle avait pleuré.

— Il est fatigué depuis quelque temps, il termine chaque soirée dans un état d'épuisement de plus en plus grand et il a fait jurer à Max et à moi de ne pas vous en parler, mais ce n'est plus possible...

Elle s'effondra en sanglots et je vis les larmes couler entre ses doigts pâles.

— C'est surtout pour ton père, parvint-elle à dire. Il ne veut pas qu'il sache... Il m'a expliqué qu'il a reçu une balle un jour et que cela ne s'est jamais guéri.

Avram... Avram, mon grand et terrible frère, qui me jetait au plafond de notre maison de Kezat et qui me rattrapait au vol tandis que je criais de terreur et de plaisir. Il n'était pas possible qu'un infime morceau de cuivre puisse mettre en danger une si forte et si belle vie, cela était impossible, cela n'existait pas, cela ne se ferait pas, je l'empêcherais.

Je me précipitai, dès mon arrivée, dans la chambre d'Avram et je fus stupéfaite. Je m'attendais à le trouver couché, pâle comme son oreiller, or il était debout, en train de fouiller dans une commode.

Il me jeta un regard de côté et grommela :

— Tu arrives bien. Tu vas m'aider à retrouver mes boutons de manchette.

Je m'approchai de lui et je devais avoir l'air tellement angoissé qu'il s'arrêta et me fixa avec intensité.

Il alla s'asseoir pesamment et un demi-sourire éclaira son visage.

— Je parie que cette bavarde d'Amélie t'a raconté des sornettes.

Je m'efforçai d'affermir ma voix :

— Je ne crois pas que ce soient des sornettes, Avram.

Il me regarda longuement et dehors une horloge tinta. Sa main musclée m'attira vers lui et il me regarda avec douceur.

— Tu as grandi, Anna, dit-il, tu es une femme à présent.

Je remarquai alors pour la première fois combien sa poitrine se soulevait et s'abaissait rapidement. Il n'avait pourtant fait aucun effort et cette constatation m'épouvanta. Une nouvelle fois il s'en aperçut, car il serra mon bras plus fort.

— N'aie pas peur, dit-il, ce n'est pas un souvenir laissé par une ordure de cosaque qui aura raison d'Avram Boronsky.

Je savais le peu de valeur de ce genre de déclaration, mais, inexplicablement, elle me rassura. Qui, en effet, pourrait abattre Avram ?

Je lui fis promettre de se soigner, de se reposer davantage. De son côté, il me demanda de ne parler à personne, de ne pas alarmer maman ni papa.

Et me voici ce soir en possession de deux terri-

174

bles secrets. Je me suis éveillée légère, sans soucis, sans tracas, et soudain les responsabilités m'écrasent. La peur s'est glissée en moi comme un oiseau de nuit retrouvant son gîte familier.

Seigneur ! moi qui ne fais jamais appel à vous, protégez Avram, protégez Boris, protégez-nous tous !

CHAPITRE II

QUEL tourbillon que ces nuits de Budapest... Tout ce que l'Europe centrale comporte de têtes couronnées, d'altesses déchues, de princes en rupture de pouvoir, d'aristocrates ruinés par les révolutions, la roulette et le baccara, tous se retrouvent ici à soigner leurs malaises réels ou imaginaires. Les Autrichiens dominent. On les reconnaît à leur teint de montagnard et à leur arrogance. Les Hongrois sont plus noirs de poil, plus sombres. Certains soirs, des hommes me terrifient! Ils me fixent de leurs yeux de braise qui brillent dans la pénombre de la salle. On trouve également dans le personnel du Casino ou des grands hôtels toute sorte d'exilés, des Russes en particulier, chassés par les événements et qui pour la première fois de leur vie travaillent.

Je me suis liée d'amitié avec l'une des femmes de ménage de l'établissement. C'est une Polonaise au nom imprononçable que nous appelons Douchka et qui prétend être une descendante lointaine de Tarass Boulba. Elle affirme également avoir possédé trois palais splendides dans les environs de Lodz.

Est-ce vrai ? est-ce faux ? Aucun moyen de le savoir. Tout le monde ici ment, s'invente des vies fictives, extraordinaires. C'est un ramassis de mythomanes, d'escrocs, tout cela dans une ambiance de folie et de dépenses somptueuses souvent jamais réglées. Renfeld nous a raconté hier que l'ancien prétendant au trône de Roumanie avait déménagé à la cloche de bois après avoir laissé dans les différents hôtels, restaurants et boîtes de nuit de la ville des dettes énormes qui resteront impayées.

Quant à mon orchestre, il s'enrichit de morceaux nouveaux, car il faut renouveler sans cesse le répertoire, et ce n'est pas un mince travail. Notre grand succès actuel est *Hora staccato*, que je joue à longueur de journée pour bien me le mettre dans la tête.

Maman prétend d'ailleurs que je travaille trop.

Rien de neuf du côté d'Irène et de Boris. Ils continuent à se voir, mais leur discrétion est, je dois le reconnaître, exemplaire.

Quant à Avram, il est parti depuis trois jours avec Max faire une tournée avec l'orchestre à Zagreb. Il est parti apparemment en grande forme. C'est tout au moins l'impression qu'il s'est efforcé de donner.

Mathias m'a tapoté la joue ce matin en me croisant dans le grand vestibule, il m'a trouvée pâle. La belle Irène, qui était là, m'a regardée sans me voir et a disparu en fredonnant *la Traviata*.

Mon gros marchand de blé me fournit régulièrement en roses. Tout est donc dans l'ordre, le rythme de la vie est rapide mais régulier. La « vie d'artiste » a aussi ses routines...

Cet après-midi, Yanni, tout ensommeillé, a frappé à la porte de ma chambre. J'étais en train d'écrire mon journal, que je m'efforce de tenir à jour régulièrement. Je lui ai ouvert.

— Répétition, a-t-il bâillé, le maestro veut nous annoncer une nouvelle d'importance.

Deux minutes après, j'étais dans la salle de musique et Mathias est entré, tout excité, brandissant une lettre.

— Mes enfants, je reçois une lettre de mon ami Brostein. C'est un imprésario. Il sera à Budapest dans deux jours et viendra vous écouter. Si vous faites l'affaire, il vous engage pour une tournée d'un mois.

— Où cela ? a demandé Isaac.

Mathias a souri et récité à toute allure :

— Bratislava, Prague, Marienbad et... Vienne !

Je suis restée paralysée de stupeur. Tous ces noms tournaient dans ma tête dans un miroitement de glaces, de lumières, d'hommes en frac, de femmes en fourrures, couvertes de bijoux... Mathias Renfeld a levé un doigt professoral.

— Mais attention, je le connais, c'est un homme difficile et tatillon. Si un seul d'entre vous joue un quart de ton trop haut ou trop bas pendant un dixième de seconde, vous pouvez être sûrs qu'il l'entendra du fin fond de la salle. Alors il faut mettre le peu de temps qui nous reste à profit.

Il claqua dans ses mains et ordonna :

— Répétition !

Je m'assis, déballai mon violon et je vérifiai la colophane de mon archet lorsqu'il demanda :

— Où est Boris ?

Nous n'étions que quatre dans la salle : Renfeld, Yanni, Isaac et moi.

— Je ne sais pas, articula Yanni, il n'était pas dans sa chambre, j'ai pensé qu'il allait nous rejoindre.

Nous nous regardâmes. Je sentis brusquement des gouttes de sueur couler le long de mes reins.

— En tout cas, assura Yanni, je suis sûr qu'il est ici. Je l'ai vu dans l'escalier il n'y a pas dix minutes et il n'avait ni veste ni cravate...

Yanni a toujours eu une spécialité : c'est le roi incontesté de la gaffe. Je me rends compte que je n'ai pas beaucoup parlé de lui jusqu'à présent, non que je ne l'aime pas ni qu'il ne soit pas un personnage pittoresque, mais cela est dû à une superstition qui m'est restée : du plus loin que je me souvienne, Yanni n'a jamais ouvert la bouche sans qu'il en soit résulté quelque catastrophe.

Il y avait eu une histoire célèbre à Kezat. Max avait trouvé de l'argent sur lui et l'avait soulevé de terre en le prenant par les oreilles.

— Tu n'as pas honte de voler de l'argent à ta mère pendant qu'elle a le dos tourné !

— Elle n'avait pas le dos tourné, avait protesté Yanni, j'ai attendu qu'elle soit à la cuisine.

179

Là, la gaffe qu'il venait de commettre pouvait avoir des conséquences plus graves.

Cependant, je repris espoir lorsque Renfeld lança :

— Commençons sans lui, il nous rejoindra lorsqu'il entendra la musique.

Je poussai intérieurement un soupir de soulagement. J'étais à peu près sûre qu'il était en cet instant avec Irène.

Je tremblais comme une feuille, démarrai en avance, me fis rabrouer deux fois coup sur coup, et j'avais l'impression de produire le bruit exact que fait une scie sur un bloc de métal rouillé.

Mathias me jeta deux regards furibonds.

— Anna, sois un peu à ce que tu fais, veux-tu !

Je grognai une vague affirmation, sentant de nouveau monter l'angoisse en moi : et Boris qui ne venait toujours pas ! Mathias nous imposa le silence d'un grand geste du bras.

— C'est un massacre, dit-il, nous allons arrêter immédiatement et...

J'eus la conscience immédiate de la catastrophe : il ne fallait pas que Renfeld regagne sa chambre.

Je me dressai d'un bond :

— Non, monsieur Renfeld, je vous promets de faire attention.

Il me regarda, interloqué par ma véhémence, et il écarta les bras.

— C'est bien, dit-il avec un sourire ; puisque tu y consens, nous allons continuer.

Je me rassis tandis qu'Isaac et Yanni me contemplaient eux aussi, étonnés.

Mathias se mit à fouiller dans ses poches, en sortit des papiers froissés, un mouchoir, des pièces de monnaie.

Tout en cherchant, il murmura :

— Je vous avais apporté une autre partition très intéressante, mais...

Il se frappa le front :

— J'ai dû l'oublier dans ma chambre, je vais la chercher...

Il n'avait pas esquissé une fraction de geste vers la porte que je me redressai de nouveau :

— Je suis fatiguée, nous pourrions travailler demain, ou tout à l'heure, ou plus tard..., ou après le spectacle..., ou...

Je restais plantée au milieu de la salle, rouge comme une écrevisse, la bouche ouverte. Mathias me regarda sévèrement.

— Il faudrait savoir ce que tu veux, Anna. Tu dis vouloir travailler, puis tu ne veux plus, tout à l'heure tu voudras sans doute encore... Tu ne m'as pas habitué à tant de caprices.

Je le vis, fâché, traverser la salle et sortir.

Je retombai sur ma chaise avec un gémissement.

— Tu es cinglée, constata Isaac. Qu'est-ce qui t'arrive ?

Cela n'aurait servi à rien de répondre, j'étais effondrée. Si Mathias trouvait sa femme avec Boris, c'en était fait de nous, de l'orchestre, de la belle maison, des projecteurs, des roses, du champagne, de Bratislava, de Vienne, il ne resterait plus qu'une famille éplorée, réduite à jouer du violon dans les rues de la vieille ville ou sous les ponts de l'Alföld. Sans compter la peine que nous allions faire à cet homme si bon...

— Explique-toi, renchérit Yanni, tu sembles sur le point de t'évanouir.

— Je crois en effet que je vais m'évanouir, murmurai-je.

Mathias n'arrivait toujours pas.

— Il est drôlement long à la trouver, sa partition, dit Yanni.

Je grinçai des dents. Décidément, ces deux idiots ne comprendraient jamais rien. Je me tournai brusquement vers eux pour leur dévoiler le secret qui m'étouffait lorsque la porte s'ouvrit.

Mathias entra.

A la seconde même, je compris qu'il savait et, bizarrement, une sorte de soulagement m'envahit. Tout était consommé, je n'avais à présent plus rien à craindre.

Ses yeux largement fendus étaient un peu plus grands qu'à l'ordinaire. Il y avait à leur commissure deux petites rides nouvelles que je ne connaissais pas.

Il s'approcha de son pupitre, le contempla un moment et dit d'une voix plate, sans intonation :

— Je ne sais pas où je l'ai mise, mais cela n'a pas d'importance, nous allons reprendre la *Cavalcade* de Puczé, le deuxième mouvement.

C'était un air très lent. Je jouais sans le quitter des yeux, persuadée de le voir s'effondrer d'une seconde à l'autre.

De le sentir si courageux, les larmes me vinrent aux yeux. Il arrêta l'exécution du morceau.

— Vous jouez sans sentiment, dit-il; les notes ne doivent pas sortir de vos doigts, mais de votre cœur. Donnez-moi ça.

Il prit le violon d'Isaac et nous interpréta le morceau, reposa le violon et s'assit.

Nous attendions tous les trois, immobiles.

Il se secoua au bout de quelques instants et dit :

— Nous continuerons demain, nous ne sommes pas très en forme aujourd'hui.

Yanni et Isaac sortirent, vaguement intrigués, et, au moment où j'allais à mon tour franchir le seuil, Mathias me retint :

— Tu veux rester un moment, Anna ?

Mes genoux se remirent à trembler. Ce qui me terrifiait le plus, c'était le calme et la douceur de sa voix, celle d'un homme qui vient de prendre une décision terrible et définitive.

— Oui, monsieur Renfeld.

Il me sourit, étendit ses jambes devant lui, les croisa l'une sur l'autre, se gratta l'occiput et dit tranquillement :

— Ma garce de femme couche avec ton frère.

J'eus le souffle coupé tandis qu'il sifflotait les dernières mesures de l'air que nous venions de jouer et ajoutait allégrement :

— Je vais lui tirer les oreilles parce que ça ne le

dispense tout de même pas de participer aux répétitions.

Je me penchai vers lui et demandai timidement :

— Mais... cela ne vous ennuie pas, monsieur Renfeld ?

Il me regarda avec surprise.

— Pas du tout, j'ai l'habitude. Irène était choriste à l'Opéra de Voronej. Elle n'a jamais été fichue de chanter en mesure et notre mariage a été le résultat d'une plaisanterie : je croyais que c'était mon contrebassiste Michaël Douskoï qui était le futur époux et, finalement, c'est moi qui me suis retrouvé devant le pope alors que j'étais persuadé n'être que le témoin. Jamais je n'ai tant ri de ma vie que ce jour-là.

Je me mis à rire à mon tour. La bonne humeur de Mathias m'enlevait un énorme poids.

— Mais... vous aviez l'air d'être si amoureux de votre femme !

Il eut un geste large qui balaya toutes ces futilités.

— Ça aussi, c'est l'habitude. Nous sommes des artistes, Anna, alors nous nous donnons le plaisir de jouer le rôle du couple uni devant nos invités; cela nous fait plaisir, au fond, mais il ne s'agit vraiment que d'un jeu, rien de plus.

Ce renversement de situation me laissait pantoise... Je devais posséder une sacrée dose de romantisme pour avoir cru voir une altération du visage du chef d'orchestre.

J'étais presque déçue, oui, même énormément

déçue : je venais d'en apprendre de belles sur la sacro-sainte institution du mariage. La cantatrice était une choriste, le maître Mathias Renfeld s'était marié grâce à une blague d'étudiants et le fait que sa femme le trompât le laissait parfaitement indifférent. Il me donna alors une étrange et puérile leçon de philosophie :

— Vois-tu, Anna, qu'est-ce qui est le mieux ? Etre cocu, être heureux et ne pas le savoir ou ne pas l'être, croire qu'on l'est et être malheureux ?...

Comme la jeune fille que j'étais demeurait interloquée, il ajouta :

— Anna... Crois-moi..., le mieux est de s'en moquer...

Au point où j'en étais, je pouvais me permettre de poser encore quelques questions pour mon édification personnelle.

— Alors ?... vous n'êtes pas malheureux ?

Il me regarda, surpris.

— Pas du tout. Je viens de t'expliquer ma pensée...

Je le contemplai, navrée.

— Et... votre femme vous a trompé souvent ?

Mathias rejeta sa chevelure en arrière comme lorsqu'il jouait du Franz Liszt et croisa les mains, emprisonnant son genou.

— Difficile à dire, bien qu'elle ne me fasse pas de cachotteries de ce côté-là. Il est possible que certains m'aient échappé, comme Boris jusqu'à ce jour, mais je suis à peu près sûr que si l'on s'amuse à compter ses amants, on doit dépasser la trentaine.

Il se leva et me donna le coup de grâce.

— Trente, répéta-t-il, de quoi faire un bel orchestre !

Je trouvai la force de murmurer :

— A condition que ce soit vous qui le dirigiez.

Il éclata d'un rire qui résonna longtemps, bien après qu'il fut parti.

Isaac fait le pitre, il a un don d'imitation absolument étonnant et dans le fiacre qui descend la rue Kossuth, déserte à cette heure, il minaude comme la caissière de l'établissement dont il reproduit avec exactitude le chuintement dû à un dentier trop large et à un accent croate évident.

Je me sens lasse, mais c'est une bonne fatigue. Je suis surtout rassurée : Brostein, l'imprésario, était là et nous nous sommes surpassés. J'ai multiplié les sourires et mon archet paraissait doué d'une vie propre. Les deux garçons ont été magnifiques eux aussi et, d'après les quelques mots qu'a pu me glisser Mathias en coulisse, après le spectacle, le très difficile M. Brostein avait été charmé.

A nous donc les fleurs de Bratislava, les enchantements de Prague la mystérieuse, les pâleurs argentées des parcs de Marienbad, et, enfin, la découverte de Vienne, Vienne splendide et gracieuse, tournoyante de frénésie et de musique, joyau de l'Europe, capitale de la musique.

Nous voici arrivés. Yanni règle le cocher et le fiacre s'éloigne dans la nuit de Budapest. Inlassable, Isaac continue son numéro et nous pénétrons en riant dans le hall d'entrée de la maison. Je m'amuse tellement que je n'ai pas remarqué que les lumières étaient allumées.

Ma mère apparaît en haut des marches et son regard arrête le rire sur nos lèvres.

C'est Yanni qui réagit le premier :

— Que se passe-t-il ?

Maman a descendu les marches; machinalement, sa main caresse la statuette qui orne la rampe, une Diane chasseresse bandant un arc dont la corde est absente.

Ses traits sont tirés.

— Ne faites pas de bruit, dit-elle, Avram n'est pas bien.

Une boule se forme dans ma gorge.

— Mais... il est déjà rentré ?

Doucement, maman traverse la pièce et va s'asseoir sur une bergère près de la haute cheminée.

— Oui, il a dû interrompre la tournée, il se sentait trop fatigué. Le docteur est venu.

Le silence tombe. Figés, nous attendons tous les trois qu'elle parle. J'ai envie de la secouer pour faire jaillir les mots plus vite. J'explose :

— Mais qu'est-ce qu'il a dit ?

Elle baisse la tête.

— Il ne sait pas très bien. Il a parlé d'infection, mais il a dit aussi qu'Avram était solide, qu'il fallait attendre l'évolution, qu'il ne pouvait pas se prononcer.

Les derniers mots sont à demi noyés dans les larmes.

J'escalade l'étage, cours vers la porte de la

187

chambre de mon frère. Elle n'est pas fermée et je pousse le battant. Il est couché, les yeux brillants, la tête appuyée contre l'oreiller.

Mon père est assis sur le lit et ses yeux ne quittent pas ceux de son fils, comme pour y guetter l'apparition de la souffrance ou de, peut-être, quelque chose de pire.

Debout, à la fenêtre, Max regarde les toits de la ville sous la lune. Il ne s'est même pas retourné quand je suis entrée. Lorsqu'il se tournera tout à l'heure, je saurai pourquoi : son visage est sillonné de larmes.

Avram a souri avec effort.

— Tiens! dit-il, voici la nouvelle étoile de la musique, celle qui fait courir tout Budapest.

J'avance vers lui, malgré mon épouvante : les joues se sont creusées et la pomme d'Adam monte et descend lorsqu'il parle à présent. Il n'est pas possible qu'un homme puisse changer ainsi en quelques jours, cela ne fait que deux semaines qu'il est parti.

Je suis parvenue à m'asseoir tout près de lui sans perdre mon sourire.

— Comment te sens-tu, Avram?

Sa réponse me fait mal.

— Bien, dit-il avec force, bien mieux, ce sacré poumon m'a joué un tour pendant mon voyage, mais je crois qu'il a cessé de faire des siennes. Je lui ai donné l'ordre de ne plus m'embêter.

Ses yeux sont pleins de tendresse. Lorsqu'il me regarde ainsi, je redeviens toujours la petite fille de Kezat, la petite fille aux cent mille poupées...

188

Père s'est tourné vers moi :

— Ne fatigue pas trop Avram, chérie, le docteur a bien recommandé de ne pas le faire trop parler.

J'embrasse le front humide de mon grand frère. Sur le palier, Boris et les deux autres se précipitent vers moi.

— Alors ?

Je les ai bousculés et me suis enfuie pour qu'à travers la porte Avram ne m'entende pas pleurer. Je sais à présent que la mort est dans la maison. Je le sens du plus profond de mon être.

Cette période qui commence va être l'une des plus sombres de ma jeunesse. Elle sera coupée de brèves lueurs d'espoir.

Avram descend manger avec nous, et nous sommes presque déjà à fêter sa guérison; puis c'est une rechute, Avram ne sort plus de son lit; puis nous le voyons debout, en robe de chambre, appuyé au bras de mon père. Il y a ensuite un changement de médecin et on constate un nouveau mieux chez le malade.

Mon père ne le quitte pratiquement plus. Je viens chaque jour lui tenir compagnie. Il ne reste rien du colosse d'autrefois, les épaules osseuses d'Avram soulèvent la veste de pyjama, et ses poignets sont à présent presque frêles...

Voici bientôt un mois qu'il n'a pas demandé son violon. Amélie s'est métamorphosée en infirmière et je l'admire beaucoup : elle sait que la bourgeoisie de la ville ne considère pas son attitude comme convenable, mais elle a décidé qu'elle s'en moquait et qu'elle voulait soigner celui qu'elle aime.

Lorsque, comme cela arrive de plus en plus souvent, Avram a une hémorragie, je n'arrive plus à sourire en scène. Mes frères et moi avons renoncé à la tournée et Mathias Renfeld est plein de gentillesse avec nous — il appréciait beaucoup Avram en tant que musicien et en tant qu'homme.

Qui d'ailleurs ne l'aurait pas aimé! Ce géant sensible et bon n'a que des amis.

Relâche ce soir. J'apprécie cette unique soirée de repos dans la semaine.

Comme il a fait frais, Mathias et Max ont fait un feu de bois. Boris et Isaac ont joué aux échecs tandis que la choriste de Voronej tire languissamment sur l'aiguille de son ouvrage. J'ai l'impression que les amours de la belle Irène sont au point mort en ce moment. Boris a d'autres soucis. Il aime beaucoup Avram et je le sens très triste depuis le début de la maladie de son aîné.

Le médecin est venu dans l'après-midi et lui aussi est soucieux : il n'y a pas d'amélioration.

Amélie est partie depuis longtemps.

Père entre dans le salon et je le regarde : lui aussi a vieilli; il s'est courbé, il ne boit plus et a abandonné ses affaires.

Ma mère a levé la tête.

— Il dort?

Marko la regarde.

— Je ne crois pas, dit-il, mais il est très calme, il ne souffre pas.

190

Peu à peu les occupants de la pièce se retirent tandis que les braises s'accumulent dans l'âtre.

Je n'arrive pas à fixer mon attention sur mon livre; les lignes défilent sous mes yeux, mais les mots restent de petits signes imprimés et gardent ce soir leur sens caché.

La pendule sonne. Il est déjà onze heures.

Dans la pièce il ne reste plus que Mathias et moi.

Renfeld est enfoncé dans un des fauteuils et regarde les flammes baisser. Je vais partir à mon tour. Je referme mon livre lorsque Mathias parle :

— Anna...

Il ne me regarde toujours pas et semble pris par une rêverie profonde.

— Oui ?

— Veux-tu m'épouser ?

Il a dit cela très tranquillement, très calmement, alors que dehors le vent semble être définitivement tombé.

Je reste muette tandis qu'il tourne enfin ses yeux vers moi. Les flammes éclairent en rouge la moitié de son visage. C'est vrai qu'il est très beau, Mathias Renfeld, en cet instant.

— Je sais que cela te surprend, poursuit-il, mais ne crois pas que j'ai là une idée nouvelle. Il y a longtemps que je voulais t'en parler...

Une douceur m'a envahie, je sais que, quoi que je réponde, Mathias sera toujours pour moi un ami, jamais il ne me fera de mal, ni à moi ni à personne.

— Tu es au courant de ma situation avec Irène,

191

tu sais donc qu'elle n'est pas un obstacle, je peux divorcer facilement, c'est une possibilité que j'ai quelquefois envisagée.

Il a un sourire un peu triste, ses longs doigts jouent avec les franges de l'accoudoir et il continue :

— Quoique je prenne ses infidélités assez philosophiquement, comme tu as pu le constater, tu dois bien comprendre que je n'en suis pas heureux. De toute manière, on n'est jamais heureux lorsque l'on n'aime pas, et, quelle que soit ta réponse, je voudrais te remercier du bonheur que tu m'as procuré depuis l'instant où tu as pénétré dans cette maison et du même coup dans ma vie.

Nos regards se croisent.

Si je le veux, dans quelques secondes, je ne serai plus une errante, cette maison sera la mienne, je serai l'épouse d'un des plus grands chefs d'orchestre de Budapest, Anna Boronsky aura trouvé le port.

— J'ai vingt-deux ans de plus que toi, ne crois pas que je l'oublie, cela est impossible, mais je crois, après y avoir beaucoup pensé, que ce n'est pas un obstacle insurmontable.

Il se lève soudain, s'accroupit et repousse avec le tisonnier une bûche à demi consumée sur les chenets.

— Tu jugeras le moment mal choisi, étant donné la maladie de ton frère, mais je ne pense pas qu'il y ait des moments privilégiés.

Anna, te voici à l'un des tournants de ta vie, il serait bon de t'installer ici pour toujours, c'est une immense tentation. Tu pourrais voyager avec Mathias — Rome, Paris, Berlin et l'Amérique, pourquoi pas — et cette fois ce ne serait plus sur le pont ou dans la cale d'un navire, mais dans une cabine pour touristes fortunés.

— Je ne te demande pas une réponse immédiate, Anna ; lorsque tu auras réfléchi, alors tu parleras.

Finis, les problèmes d'argent ; finis, les passeports périmés, les visas non renouvelés, les terreurs...

Oui, je serai Anna Renfeld et je recevrai dans ce salon toutes les notabilités de la ville, je pourrai avoir des enfants, ils seront musiciens, comme moi, comme lui.

Je me suis dressée.

— C'est non, monsieur Renfeld ; ce serait malhonnête de vous faire attendre ; je vous aime beaucoup, vous le savez, et je vous admire énormément, mais c'est non.

Mathias tisonne toujours les braises rougeoyantes. Il se lève et, du bout de son escarpin, repousse un petit tas de cendre. Il se tourne soudain vers moi et un sourire illumine son visage. Il a l'air si jeune et si malheureux brusquement que je me précipite dans ses bras et que je sanglote sur son épaule.

Doucement, Mathias me caresse les cheveux.

— Ne pleure pas, Anna, il ne faut pas être triste. Je ne suis pas surpris que tu ne veuilles pas, je n'aurais jamais dû te parler de tout cela,

193

mais..., je ne sais pas pourquoi, je n'ai pas pu résister...

Pauvre cher Mathias! Avec quelle délicatesse il m'a consolée ce soir-là... Je le revois encore très bien, essayant de me faire rire tandis que je pleurais comme une fontaine en me traitant d'idiote.

Il avait peu d'années à vivre. Quelques années plus tard, en 1913, de retour d'un concert à Milan, il pénétra dans sa chambre d'hôtel. Irène s'y trouvait avec un officier de l'armée italienne. Personne ne sut jamais très bien ce qui se passa. L'amant crut sans doute que le mari jaloux venait l'assassiner, il se jeta sur son arme et tira sans prononcer un mot. Le pauvre Mathias fut tué net. Ainsi, de la façon la plus stupide, disparaissait l'un des hommes les meilleurs qu'il me fût donné de rencontrer.

Avram a rompu avec Amélie.

C'est Max qui me l'a appris hier. Cela signifie qu'il se sait perdu. Il a à peine la force de manger à présent. Amélie est effondrée, elle a passé la soirée dans la loge et a dormi avec moi.

Malgré les vagues de chagrin qui me submergent, il faut que je joue chaque soir. C'est peut-être ce qui me sauve, d'ailleurs, car, l'archet au doigt, je parviens à oublier que l'un des êtres que j'aime le plus au monde est en train de mourir.

Je monte de plus en plus rarement dans la chambre du malade; il y a une infirmière qui est là, constamment.

Jamais Budapest n'a été si belle. La Noël approche et un peu de neige est tombée, une neige poudreuse, qui colle aux semelles et fait ressembler la ville à une carte postale. Les magasins de la rue Saint-Théodore regorgent de jouets, c'est le paradis des enfants pour quelques semaines; nous nous y promenons avec Amélie qui ne me quitte plus.

J'ai acheté un manchon et un col de fourrure. Je fais très « dame » ainsi vêtue et Boris lui-même m'en a fait compliment. Comme je serais heureuse si Avram était bien portant et comme je voudrais qu'il soit là en cet instant !

Amélie me fait toujours passer par la cathédrale lorsque nous revenons. Elle prie longuement, la tête dans ses mains, tandis que je déambule le long des bas-côtés, admirant les statues, les fresques, les colonnes... Quand il y a un office, les orgues résonnent au-dessus de ma tête, leur plainte s'enfle, roule comme un tonnerre et la croix chrétienne sur l'autel brille de tous ses ors.

Je ne prie aucun Dieu particulier. Je demande à l'être suprême, s'il existe, d'arrêter ces hémorragies incessantes, d'arrêter cette souffrance qu'endure un être bon, juste et plein de vie.

Lorsque nous sortons, la nuit tombe ou est déjà tombée. Il ne reste devant le parvis que l'éternel marchand de beignets, un vieil homme au teint pâle qui nous tend ses pâtisseries dorées enfilées sur un long bâton. Il sourit et murmure quelques mots de bienvenue avec un épouvantable accent de Cracovie. Je dois être sa meilleure cliente, les beignets de Budapest ont remplacé le yogourt d'Istanbul qui avait remplacé les gâteaux aux amandes de Kezat : je traîne ma gourmandise à travers l'Europe.

Lorsque je songe à cette époque, je ressens toujours un goût de larmes et de beignets.

Ce soir, j'ai étrenné un nouveau costume de scène : entièrement blanc, bas blancs, bottes blanches, jupe blanche et des paillettes argentées. J'ai tant de bracelets cliquetants que l'on ne voit plus mes poignets. Aucune tsigane n'a jamais été, sans doute, vêtue ainsi. Mais qu'importe ! Ce doit être ainsi que les spectateurs les imaginent et il faut que je m'y fasse. Je suis une tsigane d'opérette. Un vrai succès, d'ailleurs, ce soir. Je ne sais s'il est dû à mon nouveau costume, mais nous avons eu six rappels.

Le régisseur est ravi et il a tenu à m'offrir un doigt de champagne tandis que mes frères fumaient le cigare. Il y avait plein de gens, des hommes en frac, des femmes en robe lamée aux perles éblouissantes. Staveck, l'assistant du régisseur, a raconté des blagues et imité Bismarck et François-Joseph. Entre deux de mes frères, je me suis surprise dans la glace : je riais aux éclats, le teint animé, et les lumières se reflétant sur les paillettes de mon justaucorps me transformaient en feu d'artifice vivant. J'ai eu envie de m'exclamer : « Mais, ma parole, je suis la plus belle ! » Rien de comparable, bien sûr, à la duchesse Elisabeth Mervincza, superbe créature longiligne qui ondule comme une liane dans des

196

robes évanescentes qui semblent à chaque seconde vouloir se séparer d'elle pour glisser mollement sur le tapis. Malgré les talons de mes bottes, il me manque cinq bons centimètres, mais, comme dit Yanni lorsqu'il cherche à me faire plaisir : « Je trouve que tu as une bonne taille pour une naine ! »

En tout cas, j'étais très fière de moi ce soir-là. Nous fûmes invités à la table d'un jeune homme maigre au sourire figé et à la calvitie précoce. Dans le brouhaha des présentations, je ne compris pas son nom et je fis une révérence sans beaucoup lui prêter attention. Quelques années plus tard, je retrouvai ce visage émacié sur le timbre d'une carte postale qu'Amélie m'envoya et je m'aperçus alors que j'avais partagé la table du roi Pierre Ier de Serbie.

Tout autour de moi, c'était un déluge de langues, de nationalités. Il y avait des Tchèques, des Polonais, des Hongrois, des Ruthènes, des Serbes, des Croates, des Russes, tous plus ou moins vaguement exilés, plus ou moins poursuivis, rarement milliardaires, souvent aristocrates... Je riais des pitreries de Staveck qui à présent imite Béla Bartok écoutant le *Beau Danube bleu*.

— Horrrrrrrible, brame Staveck, effrrrrrrayant...

Les serpentins s'entrecroisent au-dessus de ma tête tandis qu'un orchestre français joue Offenbach sur un rythme endiablé.

Les verres s'entrechoquent.

— *Skoll ! Prosit !*

La vie est belle. L'héritier des usines Skoda à Pilsen me fait une cour discrète et le cher Mathias est là aussi, souriant et tendre. Tout prend la couleur dorée du champagne. Le monde pétille, on m'offre des fleurs...

C'est cette nuit-là qu'Avram mourut.

Le cortège atteint l'angle est du bastion des pêcheurs. La rue est vide devant nous. Il est tôt, c'est à peine si le soleil achève de se lever derrière l'Académie, et je pense qu'Avram aurait aimé cette étendue rectiligne et désertique qui lui aurait rappelé la lointaine Russie, le pays d'autrefois, les grands espaces qu'il avait aimés.

La boule qui me serre la gorge est due à mon chagrin mais aussi à une amertume profonde : nous ne sommes pas une trentaine. Je devine la même tristesse dans les traits brouillés de mes frères.

Nous avions donc si peu d'amis ?

Pourtant, comme il y avait du monde autour d'Avram, comme on chantait et comme l'on riait autour de lui ! Que de fois l'ai-je vu étreindre des mains, frapper des épaules, fourrer maladroitement des billets dans des mains à demi tendues...

Et Avram rejoint sa dernière demeure avec sa famille et quelques rares fidèles.

Les pavés gris deviennent roses avec l'aube et les chevaux noirs balancent leurs encolures sombres. Le cocher a un plumet gigantesque sur le côté de son haut-de-forme, mais je ne le vois plus tant mes yeux sont pleins de larmes.

Le convoi tourne lentement rue Kaposvar et les fers des sabots résonnent sous les vieilles arcades où rôdent encore près des piliers quelques ivrognes rescapés de la nuit.

Et tout à coup tout a éclaté : d'innombrables violons ont lancé la première note, à l'unisson, et il m'a semblé que, sur Budapest, un oiseau gigantesque s'envolait, un oiseau de musique qui allait recouvrir le cercueil de mon frère d'une grande aile amicale. Ils étaient immobiles dans toutes les rues avoisinantes, la plupart encore en costume de scène, car ils sortaient à peine des cabarets, et l'on voyait leurs chemises brillantes et pailletées, rouges ou vertes ou bleues, les grandes manches bouffantes et les hautes bottes souples des tsiganes de Hongrie.

Tous se sont mis alors à marcher et à jouer ensemble, et, lorsque j'ai regardé derrière nous, j'ai vu la rue pleine d'archets levés; après, il y avait une grande foule comme si toute la ville était venue là pour l'adieu à mon frère.

Ils étaient donc venus de partout, de tous les coins de la ville, et même de plus loin; je reconnaissais ceux de Tatabanya, de Szolnok, de Békès à l'autre bout du pays. Ils avaient roulé pendant la nuit dans les wagons sinistres qui traversent les grandes plaines; j'appris plus tard que des orchestres de plusieurs villages alentour avaient attendu dans le vent froid de l'aurore afin de rendre un dernier hommage à Avram Boronsky.

Les larmes roulent sur mes joues sans interruption. Je m'écarte un peu du convoi et me hisse sur la pointe des pieds : la foule qui suit à présent a envahi la rue, elle tourne là-bas et on ne voit pas la queue du convoi. Des volets claquent au-dessus de ma tête, d'autres à l'autre bout de la rue. Budapest va être aux fenêtres; mon Dieu, c'est la ville entière qui te salue, Avram, mon grand frère; comme j'ai eu tort tout à l'heure, et comme personne ne t'a oublié!...

La musique monte; c'est un vieux chant populaire et religieux à la fois et, malgré moi, mes doigts vides cherchent les notes sur un violon invisible. A présent, les fenêtres, les balcons sont couverts de monde, Budapest en vêtements de nuit se penche et salue le corbillard.

Près de moi, Max me serre le bras violemment; il a des larmes jusque dans la moustache.

— Formidable, dit-il; c'est terrible, mais je suis heureux...

Cher Max, je comprends ce qu'il veut dire; malgré la douleur qui m'étouffe, une joie profonde s'est installée en moi : elle est due à tous ces gens qui marchent avec nous; eux aussi sont venus de loin, de Russie, de Pologne, par toutes les routes de l'Europe, pour aboutir à cette immense procession qui mène en terre l'un des leurs.

La musique s'est arrêtée et il n'y a plus que le piétinement de la foule sur les vieux pavés de la ville.

Je ne sais pas ce qui me prend; soudain je me retourne, et de toute ma voix je crie :

— *Les chevaux des steppes!*

C'est la csardas préférée d'Avram; mille fois je la lui ai entendu siffloter, le matin en rentrant d'une nuit de travail, avant de se mettre à table, il la chantait parfois de sa voix profonde et la jouait tous les soirs.

Il y a un flottement, une hésitation parmi les musiciens, et tout à coup les notes s'élèvent, montent, et je vois le monde à travers un voile, un voile de notes égrenées, de plus en plus rapides, de plus en plus scandées.

Ceux qui ne jouent pas frappent dans leurs mains et une voix de femme, chaude et claire à la fois, s'élève dans la foule. Les violons se déchaînent et, alors, il se produit une chose merveilleuse : le pas des chevaux se fait moins lent, comme si la musique allégeait le fardeau qu'ils traînent; leur lenteur funèbre disparaît et je ferme les yeux dans le tonnerre, le déluge de notes qui emplit, ce matin, Budapest. Il me semble que les montures vont accélérer encore, vite, de plus en plus vite, et que nous allons tous nous mettre à courir, comme des fous, jusqu'à ce que, menés par l'attelage volant, nous nous élevions vers le ciel dégagé, jusqu'au plus profond du bleu, la ville entière derrière nous comme une queue de comète.

A travers les têtes, je devine les grilles du cimetière. Qu'importe, tous ces gens ici sont venus apporter à l'ami qui les quitte le chant qu'il avait le plus aimé, et je ne souhaite pas pour moi d'autres cérémonies. Avram nous quitte dans l'amitié et les violons, qu'il me suffise de savoir qu'il aurait aimé une telle compagnie.

Huit mois vont encore s'écouler avant que je ne quitte Budapest.

Les fleurs que je dépose chaque semaine sur la tombe de mon frère dans le cimetière juif de Budapest ne ressemblent pas à celles qui ornent chaque soir les tables rutilantes; elles ont un autre parfum et d'autres couleurs — ce sont ceux du chagrin et de la tendresse.

J'aime le silence de ce lieu, le murmure de la ville n'y pénètre pas. J'y retrouve souvent Amélie et nous repartons ensemble à travers le quartier neuf. C'est là que les grands propriétaires, les magnats se font construire de superbes demeures à colonnades où chaque pierre représente la sueur des paysans en tutelle dans la grande plaine magyare.

A la peine que m'a causée la mort d'Avram vient s'en ajouter une autre, plus cruelle encore : Marko, mon père adoré, se laisse dériver depuis la disparition de son aîné et rien ne peut l'arracher à ce chagrin qui le torture jour et nuit.

L'homme qui assommait les pogromistes, qui dévalait joyeusement les ruelles d'Istanbul a disparu. Dans ce vieillard immobile qui ne quitte plus le fauteuil de sa chambre, personne ne reconnaîtrait le géant joyeux dévoreur de cornichons et buveur de vodka au rire si sonore...

202

Chaque jour qui passe efface ce qui restait du Marko d'autrefois.

Maman a mieux supporté le choc, contrairement à ce que l'on aurait pu attendre. Elle s'efforce de lutter, s'acharne à des travaux de couture, elle a pris la direction de la cuisine et oublie son fils dans le travail.

Je sais ce qui ronge mon père : il croit qu'Avram est mort par sa faute. Il s'en est persuadé. C'est lui, Marko, qui a eu l'idée de cette chasse aux antisémites, c'est lui qui a lancé ses fils contre les cosaques et la balle qui a frappé Avram et qui a fini par le tuer, c'est comme si c'était lui qui l'avait tirée.

Jamais il ne se le pardonnera et lorsque je lui porte son bouillon, tard dans la nuit, je sais que mon père est atteint de la plus grave maladie qui existe : la mort a pris pour lui le visage de la justice.

Son compagnon d'autrefois a disparu, lui qui l'a entraîné dans cette équipée mortelle doit disparaître à son tour. Il ne parle plus à présent, sa barbe est hirsute, il a maigri, il ressemble déjà à son fils...

Je ne m'étendrai pas sur ces derniers mois, je veux les oublier au contraire pour ne conserver que le souvenir d'un homme tendre et gigantesque, dont le rire envahissait la maison de Kezat et qui me lançait au plafond si haut, si haut, que je pensais mourir de joie.

Jour pour jour, six mois après son fils, mourait Marko Boronsky.

Dans la rue déserte où même les fiacres ont disparu, Max, le visage ravagé de larmes, nous a regroupés.

Il est le chef de la famille à présent. Sa voix est cassée.

— Je ne crois pas que ce soit possible de rester à Budapest...

Il a raison, il faut fuir cette ville sous laquelle reposent deux des nôtres, il faut repartir une nouvelle fois, continuer la marche vers l'ouest... Mais verrons-nous jamais l'Amérique ?

Sur le quai de la gare, la silhouette de Mathias Renfeld s'estompe doucement. Il agite son mouchoir, tache blanche et minuscule qui disparaît déjà dans la brume de la nuit hongroise.

Adieu, Budapest.

LIVRE V

CHAPITRE PREMIER

J'AI su, une semaine à peine après mon arrivée ici, que je serais une fidèle cliente du café Sacher et que les beignets de Budapest étaient remplacés dans mon cœur par le café à la viennoise et surtout par le Kaiserschmarn, une des plus grandes inventions humaines : une omelette sucrée à la confiture et fourrée de raisins de Corinthe.

Je me demande comment je ne suis pas devenue, durant ces deux années, l'une de ces énormes dames nourries de chantilly, de crème fouettée et de marmelade qui sortent du restaurant Keller pour aller s'effondrer devant les montagnes de pâtisseries des salons de thé du Ring ou du Prater.

Nous habitons le vieux quartier, près de la cathédrale Saint-Etienne, au numéro 14 de la Schullerstrasse. C'est une rue pittoresque et silencieuse cernée de ruelles à passages couverts.

L'appartement est agréable, bien que petit.

Rien de commun avec la demeure de Mathias, mais il faut dire que notre niveau de vie n'est plus le même. Max n'a pas pu trouver un emploi dans un orchestre. Il joue le dimanche dans une guinguette sur la route de Nussdorf. C'est une petite formation et il ne gagne pas gros. Mon orchestre est arrivé, grâce à la recommandation de Renfeld, à se caser dans une brasserie, mais rien ne subsiste du luxe hongrois : des clients plus ou moins pressés avalent des assiettes garnies en buvant de la bière tandis que nous jouons, debout sur des tonneaux. Le programme ne varie guère : *La Valse de l'empereur, La Chauve-Souris, Le Baron tsigane.* J'ai l'impression que si je joue quelque chose qui n'est pas sorti de la plume de Johann Strauss, la terre s'arrêtera de tourner, et ces braves Autrichiens me lyncheront sans une seconde d'hésitation.

Nous jouons entre des numéros de chanteurs, de faux Tyroliens en costume folklorique qui poussent des beuglements insupportables, de faux chanteurs napolitains, de faux fakirs indiens, comme nous sommes de faux tsiganes; seule la bière est vraie dans la brasserie de Karl Sievering.

C'est dimanche aujourd'hui et il fait beau.

Maman est restée à la maison écrire des lettres, Yanni et Isaac font un extra à l'Apollo, la plus grande salle d'Europe, et Boris et moi sommes sortis.

C'est vrai qu'à Vienne le Danube est bleu.

Il fait très doux et c'est le printemps. Par l'omnibus, nous sommes arrivés à Schönbrunn.

Par les allées ombragées d'épaisses frondaisons, nous voici à la fontaine de Neptune.

Les visiteurs flânent. Le soleil de Vienne chauffe déjà et le ciel est aussi pur qu'autrefois sur les steppes ukrainiennes — un bleu profond, royal.

Autour des parterres, des vases de granit, autour des Dianes chasseresses et des Vénus alanguies, Vienne se promène.

Du bout de la gloriette qui s'élève au sommet de la colline on peut distinguer la ville, la ville des valses et des corsos fleuris, la ville de la danse.

— Tu es bien songeuse, me dit Boris. Tu t'ennuies?

Je lève mes yeux vers lui et lui souris.

— Non, c'est moi qui ai peur que tu t'ennuies, il n'est pas drôle pour un garçon de sortir avec sa sœur.

Il rit et prend mon bras.

Comme il a changé, Boris! Il semble s'être assagi, surtout depuis la mort de père. Je crois aussi qu'il tenait vraiment à Irène et que cette aventure l'a bien plus touché qu'il n'a voulu l'avouer.

— Tu es folle, proteste-t-il, je suis content d'être ici. Tu veux t'asseoir?

Nous nous sommes assis sur le banc de pierre surveillé par un Hercule de calcaire aux biceps gonflés et à la barbe superbement bouclée.

Dans les allées, autour de la fontaine, les femmes en capeline, en robe d'organdi à rubans se dissimulent sous des ombrelles.

Je cligne des paupières dans la lumière brillante.

— La mode est au blanc, dis-je, c'est très beau.

Il regarde le spectacle immobile. Tout au loin, c'est le château ocre aux hautes fenêtres.

— Tu veux aller au jardin zoologique ?

C'est une proposition trop tentante pour résister. Boris rit de mon enthousiasme et nous voilà déjà devant les dromadaires et les girafes. Je n'en ai jamais vu. Boris est passionné par les singes et se ruine en cacahuètes.

La foule est dense ici. Des enfants rient et courent dans les allées.

Sous le kiosque, un orchestre joue du Johann Strauss.

— Ils ne s'en lasseront jamais, grommelle Boris.

Je le tire par la manche.

— Ça ne te tenterait pas de boire de la bière ?

Il ricane.

— Je parie que tu vas encore te bourrer de leur saleté de crème fouettée.

Je nie farouchement, mais, dès que nous sommes installés, je commande des strudels nappés de chantilly.

A la table à côté, une jeune personne vêtue de dentelles et à l'ombrelle tournoyante lance une œillade assassine à mon frère, qui machinalement redresse sa moustache.

Allons, il est temps de partir si je ne veux pas terminer ce dimanche toute seule.

Je termine mon assiette avec vélocité et saisis d'autorité le bras de Boris.

— En avant, dis-je, on n'a pas vu les éléphants, j'y tiens absolument.

Il me suit avec résignation et nous continuons la promenade.

Certaines des visiteuses jouent de l'éventail; le printemps est chaud en Autriche.

Nous marchons encore à travers l'immense parc jusqu'à la ruine romaine.

Solitaire, à l'ombre de l'une des colonnes, un homme est assis.

Il me regarde avec des yeux étranges, pâles et perçants à la fois. J'ai l'impression de le connaître, mais je ne sais où je l'ai déjà vu. C'est un vieil homme. Sous le chapeau à large bord, les cheveux blancs bouclent presque jusqu'aux épaules.

Cet homme semble doué d'un pouvoir étrange qui m'attire et m'inquiète à la fois.

— Boris ?...

— Oui ?

— Ne te retourne pas. Il y a un vieux bonhomme assis devant une colonne, est-ce que tu ne l'as pas déjà aperçu ? Je n'arrive pas à savoir quand ni où, mais je suis sûre de l'avoir déjà rencontré.

Lentement, Boris se tourne vers lui et le regarde.

Je vois ses sourcils se froncer.

— Je ne sais pas, dit-il lentement, je ne crois pas l'avoir déjà vu.

Là-bas, au bord du ciel, des nuages sont apparus subitement.

Dans l'omnibus qui nous ramène, je suis de l'œil les façades de la Hollandstrasse, mais, juxtaposé sur les fenêtres incendiées de soleil, se découpe le visage du vieillard assis près de la ruine romaine.

Ses yeux pâles me fixent.

Qui est cet homme ?

Greta, quatre chopes de bière dans chaque main, me sourit. Elle dépose sa commande devant un groupe de Viennois hilares et repart vers l'office en ondulant des hanches.

Il y a du monde ce soir chez Sievering, beaucoup de bruit et l'écho des rires et des conversations couvre parfois le bruit des violons.

En avant pour l'ouverture de *La Chauve-Souris.*

Je lève mon archet et le quatuor Boronsky se met à l'heure viennoise.

Tout en jouant, je regarde la salle : j'aime bien cette fausse taverne, les poutres, les murs épais, les tonnelles et les lourdes tables campagnardes ; elles sont toutes occupées, surtout au fond, où un essaim de femmes se penchent vers quelqu'un que je ne vois pas.

Je détourne le regard un moment, suis l'évolution de deux couples qui se sont mis à danser, et, brusquement, les yeux pâles sont sur moi.

Je reste l'archet en l'air tandis que mes frères

continuent, je saute trois mesures, loupe la quatrième et raccroche en catastrophe.

L'homme me regarde entre les femmes qui l'entourent et qui se sont écartées : c'est le vieillard de la ruine romaine du parc de Schönbrunn.

C'est donc ici que je l'ai vu, mais jamais je n'ai rencontré un tel regard. Il fascine. On coule dedans avec une sorte de vertige.

Qui est-il ?

Au dernier accord, ma décision est prise : il faut que je sache qui est cet homme.

— Greta !

La serveuse essuie à son tablier la mousse qui a coulé sur ses doigts.

— Oui ?

Je saute de mon tonneau et murmure à son oreille :

— Donne-moi un renseignement : qui est le vieux monsieur, là-bas, au milieu de toutes ces perruches ?

Les yeux de Greta se sont arrondis.

— Comment, tu ne le sais pas ? Mais c'est Veriblansky !

Au ton dont elle a dit cela, je crois comprendre que l'univers entier connaît Veriblansky, sauf moi.

Je n'hésite pourtant pas à avouer mon ignorance :

— Mais qui est Veriblansky ?

Greta fait une moue et lève un doigt admiratif.

— Ça, ma petite, personne ne saura le dire, on ne sait seulement qu'une chose...

Elle se penche vers moi, met sa main en cornet

contre mon oreille et murmure avec un air de mystère profond :

— Il paraît qu'il est âgé de plus de deux cents ans.

Je sursaute.

— Tu ne crois tout de même pas à de pareilles sottises !

Greta sourit d'un air supérieur.

— Tu dis ça parce que tu ne le connais pas, mais cela n'étonne plus personne à Vienne.

Une crédulité pareille me laisse ahurie.

Le regard métallique est toujours sur moi, je n'ai pas besoin de me retourner pour le savoir. Je le sens à une sorte de chaleur à ma nuque.

Je tente une dernière question :

— Mais qu'est-ce qu'il fait comme métier ?

Greta tourne les talons et lance avant de disparaître :

— C'est un mage !

Je regarde le vieil homme et je cesse d'être Anna. Les yeux de cet homme m'attirent et je me fais l'effet d'être un moineau de l'Alexanderplatz devant un cobra royal.

D'un effort violent, je m'arrache et remonte sur mon socle.

— Bon Dieu, souffle Yanni, dépêche-toi, le père Karl va nous virer si on prend dix minutes entre chaque morceau.

Jusqu'à la fin, je n'ai plus regardé la table de Veriblansky.

Trois jours s'écoulèrent.

Il était là tous les soirs, toujours entouré de

femmes à chaque fois différentes, et chaque soir je sentais son regard sur moi.

Le quatrième jour, je n'y tins plus. Après avoir joué, je posai mon violon et, d'un pas ferme, je me dirigeai vers sa table et m'assis. La dernière femme qui l'accompagnait venait de sortir.

Nous nous regardâmes.

Alors, pour la première fois, sous le métal froid des yeux immenses, je vis éclore un sourire.

— Bonjour, Anna, dit-il.

Sa voix était agréable, étonnamment amicale.

Je sursautai.

— Vous connaissez mon nom ?

— C'est parce que je suis un mage, dit-il, mais ce qui m'a facilité les choses, c'est que votre nom est affiché en toutes lettres à la porte de l'établissement.

Je me mis à rire et il se joignit à moi.

Ainsi devait commencer l'histoire de la plus profonde amitié que j'aie jamais éprouvée. Oui, entre le vieux bonhomme et la jeune fille de dix-huit ans que j'étais devait naître quelque chose qui ne pouvait disparaître qu'avec la mort. Cela, je le sentis immédiatement et je sais qu'il le sentit aussi.

— Je peux quand même aller plus loin, poursuivit-il : vous êtes russe, juive, vous avez une nombreuse famille, vous avez éprouvé récemment une grande peine et vous voulez aller en Amérique.

— Exact, dis-je, mais ce n'est pas sorcier : vous savez que je suis russe à mon accent; si une Russe vit en Autriche, il y a des chances pour qu'elle soit juive; les jeunes gens qui jouent avec moi me ressemblent assez pour comprendre qu'ils sont mes frères; quant à l'Amérique, c'est le but de tous les exilés.

Le sourire de Veriblansky s'accentua et il se frotta les mains.

— Excellent, dit-il, vous êtes une excellente élève; quant à la grande peine éprouvée, c'est parce que vous êtes souvent triste et que votre sourire est forcé, mais pas en ce moment.

Je posai mes coudes sur la table.

— Parlons de vous, dis-je. Est-il vrai que vous ayez deux cents ans?

Il poussa une exclamation et leva les yeux au ciel.

— Les gens exagèrent toujours; en fait, j'en aurai cent quatre-vingt-dix-huit au mois de juillet prochain.

De nouveau, nous nous mîmes à rire ensemble. Il regarda autour de lui, se pencha un peu plus et baissa la voix :

— Si je vous dis que je n'en ai que soixante et onze, est-ce que cela vous déçoit beaucoup?

— Pas du tout, dis-je, je ne le répéterai à personne.

Il devint plus grave et ses yeux me fixèrent.

— C'est pour cela que je vous l'ai dit, parce que je sais que vous ne le répéterez pas. Voulez-vous des strudels à la crème?

Je marquai le coup nettement.

— Comment savez-vous que j'aime cela?

— Les joues et la bouche, dit-il; les joues sont

pleines et vous avez un pli qui ourle la lèvre inférieure qui trahit la gourmandise, et puis neuf jeunes filles sur dix adorent les strudels, le risque d'erreur est donc minime.

Deux minutes après, je me goinfrais de strudels et nous bavardions comme si nous nous connaissions depuis toujours.

Son père avait été l'un des personnages les plus étranges de Varsovie. C'était un astrologue réputé, consulté par toute l'aristocratie polonaise. Il avait écrit des livres sur les signes zodiacaux et avait mis au point une méthode pour lire l'avenir en étudiant les plis de l'oreille. Méthode infaillible, évidemment.

A l'âge de treize ans, le jeune Michael Veriblansky décida de fuir la maison paternelle et commença une vie errante et pittoresque. Il faisait les lignes de la main, les tarots, le marc de café, la boule de cristal et parcourut toute l'Europe avec une carriole attelée de deux chevaux.

A trente ans, il inventa un jeu de cartes spécial composé de signes du zodiaque et des figures magiques empruntées à des livres hébreux et à des hiéroglyphes égyptiens. La prospérité ne tarda pas, Veriblansky eut des maisons dans les principales capitales et mena grand train de vie.

Après des revers de fortune, il finissait sa vie à Vienne.

— Que veux-tu, Anna, je n'ai jamais appris de métier, je ne suis au fond qu'un vieux romanichel incapable de faire autre chose que de prédire l'avenir. Evidemment, cela n'est pas donné à tout le monde, c'est ce qui m'a sauvé.

Il vivait encore fort bien, recevait la société viennoise dans un appartement étrange tendu de velours noir aux éclairages inquiétants et il donnait, en plus, des consultations aux femmes qui le désiraient dans la taverne du père Karl.

Je n'avais pas voulu aborder ce sujet avec lui dès les premiers jours de notre rencontre, mais je n'y tins bientôt plus :

— Michael, est-ce que... est-ce que vous avez un pouvoir ?

Ses yeux splendides se fermèrent doucement.

— Oui, dit-il, je sais faire marcher mon cerveau.

Comme je ne comprenais pas bien, il me montra une femme assise quelques tables plus loin et qui nous jetait des coups d'œil rapides.

— Je vais t'expliquer, dit-il. Tu vois cette dame ? C'est une cliente. Elle n'a pas osé encore s'approcher de nous. A la façon dont elle est vêtue, elle ne vient pas me consulter pour des questions d'argent. Son comportement est agité et, étant donné son âge, l'amour est le but de la consultation. Nous savons qu'elle est timide, anxieuse. Elle ne sait donc pas si elle est aimée. Moi, je sais qu'elle l'est, car elle est jolie, désirable, c'est une proie toute faite, mais il faudra que je la prévienne de se méfier : son mari est certainement jaloux (tu as remarqué l'alliance). L'homme dont il s'agit doit être un peu plus âgé qu'elle, car elle possède un type à plaire à des hommes mûrs, nous supposerons donc qu'il est né entre 1885 et 1890. La grande mode des prénoms à cette époque était Léopold ou Frantz. Léopold était plus répandu et, comme les parents du monsieur en question devaient appartenir à la bourgeoisie, ils ont sans doute choisi Frantz. Nous allons tenter le coup.

Il fit signe à la dame d'approcher et la fixa longuement de ses yeux pénétrants, lui prit la main, la retourna, effleura la paume de sa main et lâcha :

— Frantz vous aime.

Elle resta bouche bée, joignit les mains, devint écarlate et murmura, à la limite de l'évanouissement :

— C'est merveilleux, on ne m'avait pas trompée sur votre pouvoir !

Il sortit son jeu de cartes, lui révéla une quantité de choses très précises et empocha deux pièces d'or avec lesquelles il m'offrit des strudels.

— Au fait, dit-il, je te signale que Frantz était son mari.

Je m'étouffai dans la crème et il partagea mon hilarité.

— Mais si elle n'avait connu aucun Frantz, dis-je, tout était par terre !

Il hocha la tête.

— Cela aurait été encore meilleur, dit-il, Frantz devenait un personnage inconnu mais réel, qui l'aime dans l'ombre; je le lui aurais décrit de façon précise et elle aurait été encore davantage impressionnée.

— Au fond, dis-je, attendrie, vous êtes un habile menteur.

Il rit, me resservit de la crème et ajouta :

— En toute modestie, je crois que tu as parfaitement raison; j'ai vécu toute ma vie de l'exploitation de la crédulité publique. Bon appétit.

— Mais alors, vous abusez de cette crédulité, vous les trompez!... Je dirais même : vous les volez!

— Ce qui est essentiel, c'est le bonheur! N'est-ce pas important de faire oublier aux gens leurs difficultés quotidiennes en leur donnant l'espoir en des jours meilleurs?...

Je laisse Michael Veriblansky développer ses théories faites de bonté et aussi de sens pratique. Une complicité naît entre nous. Nous nous voyons à présent tous les soirs. Il me raconte des tas d'anecdotes et m'apprend à me servir des cartes. Je sais déjà faire le grand jeu, et je me rends compte combien il est facile d'extorquer aux clients des tas de renseignements qu'ils n'ont pas du tout l'impression de vous donner.

Mes frères s'amusent à me voir discuter longuement avec mon vieil ami. Ils me servent d'ailleurs de cobayes et je leur fais les cartes ainsi qu'à maman et à Max. Je commence à savoir y faire.

Michael Veriblansky m'offre des strudels tous les soirs; lui boit un café très fort, fait spécialement pour lui.

— Je ne devrais pas, dit-il, le cœur en prend un coup et il n'est plus très robuste, mais j'aime trop cela pour m'en priver.

— Vous ne pouvez pas prédire l'avenir en ce qui vous concerne ?

Il me regarde et un sourire très doux éclaire le vieux visage.

— Il y a pas mal de temps que mon avenir a cessé de m'intéresser... De toute façon, ça m'étonnerait que je dépasse les trois cents ans.

Je dessine dans mon assiette des lignes sinueuses avec ma cuiller.

— Pourquoi refusez-vous de me dévoiler le mien ?

Cela fait au moins dix fois que j'essaie de le décider, mais, jusqu'à présent, il a toujours refusé. Il agite ses mains diaphanes et se renverse sur la banquette.

— Voilà la chose qui m'a fait vivre toute ma vie. Tu n'es pas bête, Anna, tu sais que nul ne peut connaître le futur, or tu me demandes de te le dévoiler. Ne crois-tu pas qu'il y a là un mystère ?

Je m'entête :

— Je sais que c'est stupide, Michael, mais je voudrais savoir tout de même...

Le vieux mage hoche la tête.

— Comme tu es une tête de mule et que je n'aurai pas la paix avant de t'avoir donné satisfaction, je vais donc jouer les extra-lucides. Viens dimanche chez moi, nous nous servirons de la boule de cristal. C'est aussi inefficace que tout le reste, mais c'est plus spectaculaire, je pense que cela te plaira davantage.

Et c'est ainsi que le dimanche suivant je pénétrai chez mon vieil ami.

Il commença par me gaver des meilleurs strudels que j'aie jamais mangés, me confectionna un thé de Chine et me fit rire aux larmes en m'exhibant un accoutrement d'astrologue dont il se servait autrefois pour frapper l'imagination des populations : robe ornée d'étoiles et de signes cabalistiques, bonnet pointu d'enchanteur, jusqu'à une baguette magique.

Après bien des années, je ne suis pas parvenue à tout comprendre de cet homme. Il était un grand psychologue, se moquait de tout ce qui était surnaturel et prétendait que le fait d'avoir des yeux d'une couleur exceptionnelle lui avait facilité bougrement son travail. Cependant il me semble que les choses n'étaient pas aussi simples que cela, qu'il y avait autre chose, qu'il possédait un don inexplicable et dont il n'aimait pas parler.

C'est ainsi qu'après s'être fait tirer l'oreille, par coquetterie, il accepta de me dire l'avenir.

Tout ce qu'il me confia se révéla exact par la suite.

Je sus, dès ce jour-là, que je n'atteindrais jamais l'Amérique. Il me dévoila le nombre exact de mes enfants, ce qui me fit bondir d'effroi, mais il ne se trompa pas.

Je lui empruntai des livres de chiromancie, de voyance, de cartomancie, que je dévorai. J'eus deux flirts à cette époque-là et ces braves jeunes gens passèrent avec moi de rudes moments. J'acceptais des rendez-vous romantiques sur les bords du Danube, nous nous asseyions sur des bancs baignés de clair de lune, et il y avait toujours un inévitable et lointain orchestre pour déverser sur nous des notes sirupeuses; bref, l'idéal pour un jeune couple.

Aussitôt assise, je ne perdais pas mon temps en tendres paroles, baisers ou autres « fariboles » du même style. Je leur prenais la main, la retournais et commençais un discours intarissable sur leurs ligne de vie, ligne de chance, ligne de cœur, rencontres imprévues, intempestives, une lettre, la femme en noir, etc. Nos dialogues prenaient toujours cette tournure :

Lui. — Anna chérie, sentez-vous la douceur ineffable de cette soirée de printemps? Vienne embaume ce soir, l'air est lourd de tendresses secrètes, aussi lourd que mon cœur qui ne cesse de me parler de vous depuis que nous nous sommes rencontrés.

Moi *(penchée sur la paume du jeune homme)*. — Vous n'auriez pas eu la varicelle vers les quatre ou cinq ans?

En général mes prétendants ne persistaient pas longtemps. Au bout de deux ou trois séances de ce genre, ils s'éclipsaient discrètement. Je ne les voyais plus.

Un seul, Joseph, sans doute plus amoureux que les autres, m'offrit une broche comportant tous les signes du zodiaque. Il s'extasiait à chacune de mes révélations.

Malheureusement pour lui, je m'aperçus un jour qu'il mentait pour me faire plaisir. Je lui annonçai qu'il avait deux sœurs plus jeunes que lui, un frère aîné marié et il s'exclama sur mon indubitable don de clairvoyance :

— C'est prodigieux, Anna ! Vous êtes une véritable sorcière.

J'appris le lendemain que Joseph von Rupen était fils unique, ce qui me fit rompre à la seconde même malgré ses protestations pathétiques.

Bref, j'étais mordue pour la voyance, les énigmes, le mystère, je ne pensais plus qu'à cela. Michael riait de mon enthousiasme...

Pourtant, si j'avais été une véritable extralucide, il y a une chose que j'aurais dû deviner, c'est que notre vénéré patron Karl Sievering avait fait des placements plus qu'hasardeux, et que, pris à la gorge, il allait licencier un bon quart de son personnel. Or, dans ce quart, il y avait l'orchestre Anna Markov.

Chômeuse.

Le mot existait à peine, mais je l'étais indubitablement.

Max s'était recyclé dans la photographie, car son violon ne suffisait plus. Il allait de temps en temps tirer des portraits lors de fêtes de famille et surtout lors des enterrements. C'était en effet la mode, à cette époque, de faire une photographie du cher disparu sur son lit de mort. C'est le travail que Max préférait, car il pouvait travailler dans le calme et les clichés ne comportaient pas l'inévitable flou, le fameux « bougé » qui est la marque du vivant.

Boris et Yanni se mirent aussi à chercher du travail, mais je les soupçonnais d'y mettre peu d'énergie, car je les surpris plusieurs fois attablés à la terrasse du Wemstuben, c'est-à-dire d'une taverne où la bière était la meilleure.

Il paraissait impensable que dans la ville de la valse on n'eût pas besoin de violonistes. Tel était pourtant le cas. On cherchait des guitaristes, des clarinettistes, des accordéonistes, mais jamais de violons. Les Viennois en étaient-ils écœurés jusqu'à la nausée ?

Je me promenais dans la ville, de la Zimmerma Platz jusqu'au Muséum. Je débordais en banlieue, me ruinais en omnibus. Le soir, épuisée, je reposais mes pieds meurtris dans une bassine d'eau tiède que maman préparait dans notre appartement.

Et puis, un jour, ce fut l'illumination !

J'étais violoniste, soit, mais j'avais aussi un second métier : j'étais diseuse de bonne aventure.

Je sonnai chez Veriblansky, attendis dans son minuscule salon qu'il en eût fini avec un couple désirant connaître l'évolution de son avenir et, sans tergiverser, lui fis part de mes projets : marcher sur ses traces, suivre son exemple.

Veriblansky me sourit.

— Considère cela comme un dépannage, Anna ; si cela peut t'aider, fais-le. Ne dis rien, jamais, qui puisse peser sur le futur de ceux qui viendront te consulter, fais en sorte que cela ne nuise en aucune façon à leur liberté, et ce sera parfait. Tu en sais assez pour opérer en toute sécurité. Viens ce soir chez Sievering et commence.

— Mais vous?

— Ne t'inquiète pas pour moi. Travaille, Anna, ne te préoccupe pas du reste.

Ainsi commença ma carrière de diseuse de bonne aventure.

J'arrivai le soir même dans le café avec un trac fou, plus encore que si j'avais joué en soliste au Metropolitan, et je m'installai à la table de mon ami.

Timidement, je déposai sur la table le paquet de cartes qu'il m'avait confié et dont il se servait lui-même.

J'attendis.

Il y avait du monde. Je reconnus deux clientes du mage. Elles me dévisagèrent mais ne s'approchèrent pas.

Je commençais à trouver le temps long.

Finalement, une forte dame s'assit près de moi et releva lentement sa voilette.

— N'êtes-vous pas une amie du mage?

Je toussai et psalmodiai d'une voix de basse noble :

— Je suis plus qu'une amie : je suis sa disciple.

Elle me regarda, une lueur de doute dans les yeux, tandis que je manipulais mes cartes en m'efforçant de prendre un air inspiré.

— Vraiment?... dit-elle.

— Oui, dis-je, vraiment.

J'ajoutai, décidée à jouer le jeu jusqu'au bout :

— Le maître m'a investie de son pouvoir divin.

Elle me fixa longuement, murmura plusieurs fois de suite : « Je vois, je vois, je vois », baissa sa voilette et disparut.

Ce soir-là, je fis la fermeture : je n'avais pas eu un consultant. Je ne devais pas avoir le physique.

J'y retournai pourtant le lendemain. Cette fois, personne ne m'adressa la parole et je désespérais. Le troisième jour, je me morfondais à une table où Greta m'avait apporté des strudels rassis, car ma bourse était à sec et je n'avais pas pu m'en offrir, lorsqu'une jeune femme me sourit et s'installa à ma table. Je fus si surprise que je sursautai, et elle changea de visage.

— J'ai interrompu votre méditation, dit-elle, pardonnez-moi, j'aurais dû m'apercevoir que vous étiez en transe.

— Cela aurait pu être en effet dangereux, dis-je, mais il est trop tard pour y remédier.

Je la regardai, me demandai frénétiquement ce que Michael aurait dit à ma place, et brusquement je lançai :

— Frantz vous aime.

Elle eut un cri d'oiseau surpris et me regarda, presque apeurée.

— Comment savez-vous le nom de mon fils ?

Je balayai la question d'un geste. Vu son âge, le Frantz en question ne devait pas avoir plus de cinq ans.

— Couvrez-le bien lorsqu'il dort, dis-je, je vois un danger qui le menace...

Je vis le visage de la jeune femme s'effrayer et je poursuivis :

— Mais ne vous inquiétez pas, vous l'éloignez en prenant quelques précautions.

Elle se pencha et souffla :

— Des incantations ?

— Non, dis-je, des cache-nez. Il est bon parfois d'utiliser des méthodes banales.

Elle eut un air entendu et, sans doute séduite par cette entrée en matière, elle me demanda le grand jeu.

Je me sentais en confiance. Au bout de quelques minutes, je constatai en levant les yeux qu'un petit groupe s'était formé autour de la table. Je compris que mes affaires étaient bien parties et que, si je ne faisais pas de fausses manœuvres, j'avais dans les mains une mine d'or.

Lorsque nous eûmes fini, ma jeune consultante me confia :

— Voyez-vous, je n'ai jamais osé m'adresser au mage lui-même, mais avec vous... ce n'est pas pareil.

Elle me remercia avec effusion, se leva brusquement et sortit.

Lorsqu'elle eut franchi la porte, je m'aperçus qu'elle ne m'avait pas payée. Il était tard, on rangeait les chaises sur les tables tout autour de moi, et je rentrai bredouille une nouvelle fois.

Grâce au ciel, Max avait livré deux commandes : un baptême et une photo mortuaire. Avec l'argent, nous avions une bonne semaine devant nous. Après, si la voyance ne payait pas, il allait falloir songer à mettre les bijoux de ma mère chez le prêteur. Elle s'était d'ailleurs déjà renseignée sur les adresses de prêteurs sur gages et ils ne manquaient pas.

Je m'acharnai et retournai le lendemain chez Sievering.

J'eus quatre clientes dans la soirée.

Je gagnai plus de quarante schillings.

C'était une somme énorme. Enorme pour moi tout au moins, et je sentais que cela n'était qu'un début.

Je sortis, radieuse, et une idée me vint : j'allais donner cet argent à Michael Veriblansky. Je lui devais bien ça. Je ne l'avais pas revu depuis sept jours, et je sentais que s'il n'était pas reparu chez Sievering, c'est qu'il tenait à me laisser le champ libre.

J'achetai un énorme carton de gâteaux, une bouteille de vin français, de la marque qu'il aimait, du tabac fort pour sa pipe; je pris encore des fleurs et, pour me prouver définitivement que j'étais riche, je hélai un fiacre...

Je riais toute seule dans la voiture de la surprise que j'allais faire au vieux Michael. Il était minuit passé, mais je savais qu'il ne dormait pas. Il m'avait souvent raconté qu'il ne sommeillait qu'une couple d'heures vers le matin.

Je réglai le cocher et pénétrai au 24 de la Essig-Gosse, une haute maison étroite et grise dont il occupait le troisième étage.

Je franchis le perron en deux bonds, calculai mal mon élan et m'étalai splendidement. La concierge jaillit d'une sorte de grotte noirâtre qui devait être sa loge, m'aida à ramasser mes paquets, épousseta les pétales de mes roses et me demanda :

— Chez qui allez-vous ?

— Chez Michael Veriblansky.

Elle eut une sorte de sourire et dit rapidement :

— Le mage Michael Veriblansky est mort le 14 de ce mois, il y a sept jours ce soir.

Il y avait sept jours exactement que j'avais pris sa place à l'auberge Sievering.

Je me réveillai de mon évanouissement dans la loge. Je pleurai pendant près d'une heure, essayant d'obtenir des détails. Je supposai, ce qui se révéla être exact par la suite, qu'il avait succombé à une crise cardiaque, mais ce qui fut le plus horrible, c'est que cette malheureuse femme ne croyait pas à la mort de son locataire.

Je la vois encore, ses mèches grasses touchant mon front, murmurer en ricanant :

— Les médecins le croient, mais nous sommes quelques-uns à savoir qu'il vit toujours...

A un moment, elle cligna des yeux et chuchota :

— Je suis montée, l'autre nuit, à l'étage... Eh bien, j'ai entendu...

— Vous avez entendu quoi ?...

Elle eut un sourire diabolique qui me terrifia.

— Des bruits, dit-elle... J'ai reconnu son pas.

Je m'enfuis, les mains sur les oreilles pour ne plus l'entendre.

En fait, mon vieil ami avait été transporté, moribond, à l'hôpital et était mort en arrivant. Personne n'avait demandé à voir le corps et l'inhumation eut lieu au cimetière des indigents. Nul ne suivit le convoi de celui qui avait vu défiler chez lui le Tout-Vienne.

Je sus dès cet instant que je ne toucherais plus une carte de ma vie.

Ainsi se termina, et pour toujours, ma carrière de voyante.

CHAPITRE II

— Max Schillerman, premier valet de chambre de M. le baron Klugsdorf.

L'homme s'est cassé en deux par le milieu du corps, reste trois secondes incliné et se relève avec une grimace. Un lumbago, sans doute. Il n'est plus jeune.

Il a les joues couleur de jambon frais et des favoris blancs qui descendent jusqu'au menton. Je me drape plus étroitement dans mon peignoir.

— Si vous voulez vous donner la peine...

Max Schillerman m'arrête d'un geste bref de la main, une main potelée aux ongles nacrés.

— Je dispose de très peu de temps, mademoiselle, vous serait-il possible de venir jouer avec votre orchestre au château de Treneü samedi prochain ? M. le baron marie sa fille avec Wilhelm von Kreutzer et il serait heureux de vous voir participer aux festivités qui seront données en l'honneur de cet événement.

Si le baron est heureux, il l'est certainement

moins que moi, car, à ma connaissance, il ne doit pas être chômeur.

— Mais c'est avec plaisir.

Le respectable valet me tend entre deux doigts une carte gravée.

— Une voiture viendra vous chercher samedi dans la matinée et vous conduira jusqu'au château. En ce qui concerne vos honoraires, M. le baron m'a autorisé à vous proposer pour ces deux journées la somme de trois cents schillings. Cela vous convient-il?

Si j'osais, je te sauterais dessus, mon brave Max Schillerman, pour t'embrasser sur tes joues roses, mais attention à l'apoplexie.

— Excusez-moi, vous n'auriez pas besoin d'un photographe?

Le valet fixe Max, mon frère, qui vient de surgir dans mon dos.

— M. le baron m'a donné en effet l'ordre de m'enquérir d'un portraitiste capable de fixer l'événement, mais...

Max s'élance, un large sourire sur les lèvres.

— Eh bien, vous venez de faire d'une pierre deux coups. Anna est le meilleur violon de Vienne et je suis, moi, en toute modestie, le meilleur photographe de la ville.

C'est au tour de Max de se casser en deux et de tendre sa main.

— Max Markov, pour vous servir.

Schillerman écarte les bras, surpris et troublé.

— C'est que... M. le baron m'avait indiqué Hen...

— Il est malade, coupe Max, la variole.

Le vieillard se tait et semble réfléchir intensément. Max, qui ne le quitte pas des yeux, aide à sa réflexion.

— Dix pour cent, dit-il, je vous verse dix pour cent sur la commande, ça me semble correct.

Je vole au secours de Max.

— N'hésitez pas, dis-je, il n'y a pas de petits profits, même pour les grands valets de chambre.

Max Schillerman se détend visiblement.

— Entendu, dit-il. Vous êtes un homme du monde. Je crois que tout est donc réglé. Vous m'excuserez si je ne m'incline pas de nouveau, mais mes lombaires sont douloureuses ces temps-ci, la région du Danube m'est médicalement contre-indiquée.

La porte se referme et je saute dans les bras de Max. Je suis sûre que c'est à Karl Sievering que nous devons cela. Je passerai le remercier.

En tout cas, cet argent est le bienvenu, car la logeuse nous parlait de plus en plus brièvement, et, depuis trois jours, elle ne répondait même plus à nos saluts. Sans jouer à l'extra-lucide, la période des remontrances sur l'exactitude des paiements serait intervenue la semaine prochaine et les huissiers celle d'après. Voilà qui arrange tout... Provisoirement...

L'après-midi, nous ressortons les violons pour une répétition. Il ne faudrait pas que le mariage de la jeune baronne soit semé de fausses notes.

Pendant les deux jours qui suivirent, je ne tins pas en place. J'eus du mal à dormir la dernière nuit et j'avais enfin coulé dans le sommeil le plus profond lorsque Boris pénétra en hurlant dans ma chambre, essayant désespérément de boutonner son col de chemise.

— Bon Dieu, Anna, viens voir ça, vite !...

Il me tira du lit sans ménagement et je me retrouvai le nez au carreau, les yeux pleins de soleil.

En bas, je vis *la* voiture.

C'était un coupé de quatre chevaux, noir laqué rehaussé de filets d'or. Aux portières, une couronne discrète surmontait le blason de la famille Klugsdorf.

Je m'habillai à toute allure et nous nous entassâmes dans la voiture : un méli-mélo d'étuis à violon, de sacs de voyage, et, au-dessus de tout cela, l'énorme œil circulaire de l'appareil photographique de Max qui nous fixait de sa lentille transparente.

Ma mère nous fit ses adieux à la fenêtre. Le cocher leva son fouet et les chevaux s'élancèrent.

Commença alors l'une des plus belles matinées de ma vie.

Jamais peut-être je ne connus une telle impression d'exaltation que durant ce voyage.

Nous étions sortis de Vienne par la Eichenstrasse et tout de suite nous plongeâmes dans l'enchantement de ce matin de printemps. Passé la ville, ce fut la forêt, la splendide, l'extraordinaire Wienerwald : la forêt viennoise.

Nous roulions à toute allure, éclaboussés de

soleil, sous les frondaisons des arbres immenses qui nous masquaient à demi le bleu du ciel.

Le vent fouettait mon visage que je rejetais en arrière, grisée, ivre d'air pur, de lumière et de vitesse.

Le fouet claquait, les sabots volaient sur le sentier, mes frères chantaient à tue-tête.

J'éprouvais en cet instant un bonheur presque douloureux : d'ordinaire, la jeunesse n'est pas consciente d'elle-même, mais j'eus pourtant durant ce voyage la certitude que j'étais jeune, éperdument, et que si plus tard je faisais d'autres voyages, jamais ils n'auraient l'intensité de ce moment privilégié. Je connaîtrais d'autres joies, mais elles n'auraient point cette violence. Je vivais l'instant comme un animal. Il me semblait, pendant que nous traversions les zones d'ombre et de lumière noyées dans la verdure, que ce matin était le premier matin du monde et que ce vent qui me cinglait le visage était un vent tout neuf, venu tout exprès pour moi du fond de l'univers et qu'il n'avait jamais servi.

Fouette, cocher ! Les chevaux galopent, leurs encolures se balancent au même rythme rapide et ils emportent Anna à travers le printemps autrichien jusqu'au château de M. le baron Klugsdorf.

— Répétition ! hurle Boris.

Je le regarde, ses cheveux volent dans le vent. Son violon brille dans la lumière.

— Allez, Anna, la *Csardas* !

Je sors mon instrument. Déjà le tambourin d'Isaac frémit dans sa main.

Rythmées par le galop, les coups de fouet, les cris de joie de Yanni, les notes s'élancent à toute allure; le cocher rit aux éclats, les arbres s'écartent devant nous, les fougères s'inclinent, le soleil danse lui aussi, la terre tout entière n'est plus qu'un gigantesque tourbillon rythmé que je dirige de la pointe de mon archet.

La route descend, les bêtes ralentissent, la musique s'apaise. Entre les arbres, le cocher pointe son long fouet vers une tache grise, qui surgit là-bas, dans la plaine. Est-ce un couvent?... Il crie quelque chose que je ne comprends pas. Je me penche vers lui.

— Mayerling...

C'est là que s'est passé le drame qui bouleversa le monde, mais il ne reste rien du pavillon de chasse où se déroula le double suicide...

La route s'élargit, les arbres s'écartent et des rochers apparaissent; elle suit le vallon de Sainte-Hélène dans un décor déchiqueté. J'apprendrai plus tard que c'est dans ce paysage grandiose et tourmenté que le duc de Reichstadt errait des jours entiers.

Là-bas, plus au sud, c'est Baden, mais nous n'y allons pas. La voiture tourne dans un sentier si étroit celui-là que les branches des taillis caressent les flancs des chevaux. Le chemin tourne, encore une fois. Nous passons une vieille grille dissimulée à demi sous le feuillage et, brutalement, une immense pelouse vaste comme une mer s'étend sous nos yeux. Le terrain ondule harmonieusement. Au sommet de la plus haute vague, blanc et brillant comme un morceau de sucre : le château de Klugsdorf!

C'est un château comme on en trouve dans les livres pour enfants. Il est à peu près certain que des fées vont surgir et des chevaliers et des dames en hennin.

Erreur. Sur la terrasse se profile la silhouette de Max Schillerman, raide et digne. Il descend les marches de l'escalier d'honneur et nous laisse admirer la splendide façade qui s'étale sous nos yeux.

Je renonce à compter les fenêtres. Il y en a trop.

— Si vous voulez bien vous donner la peine d'entrer, je conduirai Mademoiselle et ces messieurs dans leurs chambres. Vous occuperez la tour d'angle, j'espère que votre logement vous satisfera.

Nous voici dans le hall. J'en ai le souffle coupé!

Des escaliers de marbre descendent en tournoyant et à chaque marche des armures brillantes nous fixent par les trous noirs de leur heaume ou de leur visière. Des tentures masquent les murs. Des domestiques se croisent, se heurtent, courent en tous les sens.

Nous suivons Max à travers un dédale de corridors, d'escaliers. Partout, le long des murs, des tableaux de personnages sinistres et pâles; leur teint maladif contraste avec le fond bitumeux; si ce sont là les Klugsdorf, il est temps de renouveler la race! Encore deux générations et ils s'éteindront comme des chandelles!

Une porte s'ouvre à deux battants. Elle dévoile

une pièce aux murs tendus de brocart. Au centre, un lit à colonnes torsadées supporte un dais aux franges d'or.

La chambre doit faire quatre-vingts mètres carrés.

Max s'est arrêté.

— La chambre de Mademoiselle convient-elle à Mademoiselle?

J'avale ma salive.

— Je pense que cela ira.

Max s'incline très légèrement. Son lumbago ne doit pas s'arranger. Il referme la porte.

Je reste seule. Nous ne verrons le baron qu'au dîner.

Aux murs, des pastels, des gravures anglaises, des sous-bois... Les quelques meubles sont en palissandre et bois des îles; j'ai à ma disposition une coiffeuse de reine.

Par les larges fenêtres, le paysage se déploie, enchanteur. J'aimerais m'y promener, mais ce n'est pas pour cela que l'on me paie. Dès que la noce sera de retour, il faudra travailler.

Après une toilette rapide, je m'habille en tsigane et je pars à la recherche du reste de l'orchestre. Je le trouve en contemplation devant un tableau gigantesque représentant un superbe cavalier tout de blanc vêtu monté sur un étalon aux naseaux dilatés. C'est le père du baron Klugsdorf et je me demande si le maître actuel du château a aussi fière allure. Celui-là est un géant athlétique, un guerrier d'or et d'argent brandissant une épée dont le fourreau est semé de rubis. Je me sens prise d'une sorte de panique, dans quelques instants je serai en présence du descendant direct de ce colonel de l'armée des Habsbourg.

Le château s'emplit de rumeurs. Nous nous précipitons aux fenêtres : la vaste terrasse est noire de monde, des calèches, des phaétons, des coupés, des tilburys, des carrosses et des voitures à moteur qui pétaradent sur la pelouse. Les voitures sont remplies de fleurs et de femmes aux robes longues dont les avant-bras disparaissent sous des gants qui montent jusqu'au coude.

Max Schillerman, essoufflé, nous appelle :

— Vite, en musique pour l'arrivée du cortège.

Nous dégringolons les escaliers quatre à quatre.

— Qu'est-ce qu'on joue ? demande Isaac.

Du Strauss s'impose.

— En avant pour *La Chauve-Souris.*

J'ai juste le temps de lever mon archet et le hall est envahi. Personne ne nous prête attention au milieu des accolades, des rires. Je distingue vaguement, dans le tourbillon, une robe blanche de dentelle qui est celle de la mariée.

Des serviteurs portent des corbeilles de roses blanches.

— J'en ai assez, me souffle Boris, personne n'écoute.

Yanni, pour s'amuser, joue trois tons au-dessous, enchaîne sur une polka berlinoise tandis que j'achève *La Chauve-Souris* en trois coups hâtifs, sans souci de la mesure.

Voici la mariée. Elle nous a vus et se dirige vers nous. La robe est splendide, mais la tête laisse à

240

désirer. Les dents surtout. On ne voit qu'elles dans le visage. Elle nous fait un sourire joyeux qui ressemble à une grimace d'épouvante. Je fais la révérence tandis que Boris murmure à mon oreille :

— Sa mère a gagné le derby d'Epsom il y a trois ans.

J'éclate de rire et un petit bonhomme d'un mètre cinquante, chauve comme un œuf, bondissant comme un lutin, se jette sur moi et porte d'autorité ma main à ses lèvres. Si la mariée est chevaline, lui ressemble à s'y méprendre à un mouton guilleret, la laine en moins.

— Bienvenue au château, jeunes gens, bêle-t-il, je suis le baron Klugsdorf.

Je manque de tomber par terre. Voici donc le fils du cavalier géant. J'ai une bonne tête de plus que lui.

— Je marie ma fille, dit-il, c'est un grand jour pour elle; pour moi aussi, car je n'aurais jamais cru y arriver.

Son rire suraigu éclate et me perce les tympans.

— Vous voyez, poursuit-il, il ne faut jamais désespérer... Wilhelm !

Un jeune homme sursaute, se précipite vers le baron. C'est un garçon de taille moyenne. La seule chose qui me gêne, c'est qu'il doit peser pas moins de cent kilos. Celui-là doit aimer les strudels encore plus que moi !

— Je vous présente mon gendre, glapit le baron; dis bonjour aux musiciens, Wilhelm...

Les joues pleines de Wilhelm tremblotent à chaque pas. Je suis prête à parier ma paie de la journée qu'il lui est impossible de courir plus de vingt mètres. Ce qui est inquiétant, ce sont ses yeux : ils sont vides de toute expression. Ce jeune marié, qui ne fait ni jeune, ni, moins encore, jeune marié, n'arrête pas de tamponner avec un mouchoir le coin de sa bouche où coule en permanence un excédent de salive.

Wilhelm ne s'incline pas — cela lui serait impossible — il plie légèrement sur les genoux, se redresse et nous regarde d'un air idiot.

Le baron saute en l'air, assène une claque retentissante sur le dos de son énorme beau-fils et hurle :

— Joli couple, hein ?

Médusée, je n'ai pas la force de répondre.

Les portes de la salle à manger s'ouvrent et découvrent une table gigantesque surchargée de victuailles. Au fond, une estrade a été dressée pour nous.

— Monsieur le baron est servi.

Comme un flot d'affamés, les invités se précipitent dans un brouhaha invraisemblable. Nous devons nous frayer avec peine un chemin au milieu des douairières emplumées, des généraux en retraite, tandis qu'au bout de la table, assis sur deux coussins superposés qui rehaussent le siège de son splendide fauteuil, le baron Klugsdorf lève son verre, l'écluse d'un coup comme un vieil habitué de taverne, tourne vers nous son profil de mérinos et lance :

— En avant la musique !

242

Nous reprenons nos places.
Le repas est commencé.

J'ai une crampe à l'épaule. Cela doit faire trois heures d'affilée que nous enchaînons valses sur valses, polkas sur csardas, opérettes sur opéras, chansonnettes sur cavatines, tout cela coupé par des assiettées que nous apportent des domestiques à intervalles réguliers. J'ai déjà dévoré du caviar au champagne, du sanglier à la Vorarlberg, du goulasch et un verre de vin souabe, mais cela à toute vitesse, car dès que nous arrêtons ce diable de Klugsdorf bondit en l'air comme s'il avait un ressort dans ses coussins et lance avec entrain :

— Musique, musique !...

Je n'en peux plus. Le marié a dû avaler l'équivalent d'un tombereau de goulasch et ses paupières baissent de seconde en seconde sur ses yeux vides. Il a de la sauce sur le gilet et, de l'endroit où je me trouve, je peux constater qu'il a enlevé ses chaussures. La mariée plante ses dents proéminentes dans sa tranche de kuybef et contemple avec admiration son récent époux. Elle a l'air de se demander s'il est bien à elle tout entier. Ce qui est certain, c'est que la jeune baronne n'a pas été trompée sur la quantité.

A l'autre bout de la table, un très vieux monsieur que j'apprendrai être le dernier représentant de la branche bâtarde des Hohenzollern ronfle comme un sonneur, le nez dans sa cravate. Depuis longtemps les enfants ont été lâchés dans le parc, sauf un grand dadais d'une dizaine d'années, trop grand pour son âge, qui nous contemple en fourrant son index dans son nez jusqu'au milieu de la deuxième phalange. C'est une prouesse, dans le genre.

Le baron se lève. Cela fait un effet curieux, car il est plus petit debout qu'assis.

— Café et liqueurs, lance-t-il.

C'est le signal du repos pour nous, pour quelques heures. Les hommes vont au fumoir, ces dames vont se répandre dans les chambres d'amis ou les boudoirs pour remettre de l'ordre dans leur toilette ou pour en changer.

Wilhelm essaie frénétiquement de remettre ses chaussures tandis que je m'effondre sur l'un des fauteuils abandonnés. Ouf ! enfin un entracte !

Le plus dur reste à faire : le bal de ce soir.

Je suis tellement fatiguée que je commence à m'endormir lorsque le toussotement d'un valet de pied debout derrière ma chaise me tire de ma léthargie.

— Je m'excuse de déranger Mademoiselle, mais M. le baron demande Mademoiselle au fumoir.

Je réprime un gémissement. Ce mouton de malheur doit vouloir un fond sonore pour siroter ses maudites liqueurs et fumer ses cigares. Je me lève cependant et suis le serviteur. Il n'y a rien d'autre à faire.

Dans la salle voûtée où je suis introduite, les murs disparaissent sous des trophées de chasse. Le baron vient vers moi d'un pas vif.

— Pouvez-vous m'accorder quelques secondes

d'entretien? Nous serons plus à l'aise dans mon bureau...

Je le suis, vaguement inquiète. Dans tous les coins, des hommes boivent ou somnolent. Les conversations semblent peu animées.

Nous voici dans le bureau du baron. A en juger par le luisant de la table de travail, il ne doit pas l'utiliser très souvent.

Le petit bonhomme me regarde, se frotte les mains, esquisse un entrechat et me désigne un siège.

Il a l'air en pleine forme et semble déborder de vie. L'alcool n'a pas prise sur lui, dirait-on. De sa voix de tête, il lance :

— Berlin, Venise, Florence, Rome, Paris, ça vous plairait?

J'ouvre les yeux, les oreilles, la bouche, me lève et retombe assise.

— Je vois que ça vous plaît, triomphe-t-il; eh bien, considérez l'affaire comme faite.

Je bégaie :

— Mais quelle affaire?

Il se frotte les mains de plus en plus vite.

— Nous partons dans deux jours, dit-il. L'Italie d'abord : le pont des Soupirs, le Rialto, les Offices, Michel-Ange, Saint-Pierre de Rome, l'asti spumante, on verra après.

Je bafouille :

— Mais qui part?

Le baron s'arrête, prend son élan, bondit vers moi et tombe à mes genoux : le tapis a amorti le choc.

— Nous deux! Nous partons! Les meilleurs hôtels, les palaces, les transatlantiques, tout cela est à vous, je me l'étais promis : dès que ma fille serait mariée, je vivrais ma vie; eh bien, ça y est : j'ai réalisé l'impossible : Johanna est casée, je suis libre et j'en profite. Vous me plaisez, Karl Sievering vous a recommandée à moi, vous êtes jolie, jeune, souriante, musicienne, je prends les billets!

Je donnerais cher pour posséder le bâton ferré de mon père lorsqu'il assommait les cosaques. Ce nabot dégénéré me demande de devenir sa maîtresse. Il va voir de quel bois je me chauffe.

Je prends mon élan à mon tour, j'ouvre la bouche et je hurle :

— Jamais!

Il chancelle sous le choc et, avec une surprise sincère, il demande :

— Mais pourquoi?

— Je... Je ne sais pas, mais jamais, vous entendez, jamais!

Le baron sautille d'affolement.

— Mais c'est incroyable, je ne comprends pas votre attitude. Vous rendez-vous compte de ce que vous refusez?

J'explose :

— Ah! oui, ça, je m'en rends parfaitement compte!

Le nabot brandit soudain ses deux poings dans ma direction.

— Vous êtes une mauvaise fille. J'avais tout

prévu, tout réglé, vous ruinez tous mes projets, j'en dirai deux mots à Sievering.

Je ne me possède plus :

— Votre Sievering est un vieux cochon. S'il s'imaginait que j'allais partir avec vous, il faut qu'il soit complètement cinglé et vous aussi pour le croire avec lui. Je quitte immédiatement le château.

Le baron Klugsdorf s'élance de nouveau.

— Ne faites pas cela, restez, restez, je vous en supplie... Imaginez le scandale et ce que deviendrait ce mariage sans musique, sans votre remarquable orchestre plein de brio, d'entrain...

J'hésite. C'est vrai que je ne peux pas faire cela. Et puis il y a l'argent. Nous ne pouvons pas nous offrir le luxe de partir sans l'avoir touché.

— Excusez-moi, monsieur le baron, permettez-moi de me retirer pour prendre un peu de repos, nous allons sans doute jouer la plus grande partie de la nuit.

— Ah! merci, merci! lance le petit bonhomme, merci de ne pas partir, mais réfléchissez tout de même encore à ma proposition, cela me ferait tellement plaisir, et je veux absolument profiter de ma liberté toute nouvelle...

Je suis déjà sortie. Je traverse le fumoir au pas de charge et vais retrouver mes frères, à qui je ne raconte rien. Max ou l'un des autres serait capable de lui casser un violon sur le crâne, tout baron qu'il est.

Le bal s'acheva avec l'aube.

Nous jouâmes toute la nuit. Les dernières heures, dans une sorte de demi-sommeil comateux, je voyais virevolter les longues robes, les queues-de-pie des habits tandis que sur la droite un groupe de douairières à aigrettes péroraient en buvant des chocolats chauds à la crème glacée. Vers deux heures du matin, l'une des invitées eut l'excellente idée de s'installer au piano puis de chanter *Cavalleria rusticana* d'une voix suraiguë. Ce fut notre seul repos, excepté pour nos oreilles.

Je tombai comme une masse dans mon magnifique lit à torsades. A neuf heures, on vint nous chercher pour nous raccompagner. Je quittai sans regret le splendide château du baron et retrouvai avec joie ma petite chambre, où je dormis une bonne partie de l'après-midi.

L'intendant nous avait réglés et nous avions le temps de nous retourner à présent.

Ma mère partit faire des provisions et nous confectionna un somptueux repas que nous étions en train d'avaler gaiement lorsqu'on sonna à la porte. Nous nous regardâmes.

Il était plus de huit heures du soir. Il était rare qu'à cette heure nous recevions de la visite.

Qui pouvait bien venir ?

Je me levai et allai ouvrir. Sur le pas de la porte se trouvaient trois hommes. Celui du centre était un grand moustachu aux favoris blonds vêtu d'une sorte de houppelande grise, les deux autres étaient en uniforme de policiers.

J'eus, comme chaque fois que j'ai pu voir un uniforme, l'intuition d'une catastrophe d'envergure.

— Vous êtes Anna Markov ?

J'affermis ma voix et m'efforçai de donner à mon visage un air franc et ouvert, exprimant l'honnêteté la plus complète :

— Oui, c'est moi.

Le moustachu renifla bruyamment.

— Vous dirigez un orchestre ?

— C'est exact.

— Vous avez joué cette nuit au château de Treneü chez le baron Klugsdorf ?

— C'est toujours exact.

— Vous y étiez avec vos frères ?

— Oui.

— C'est bien. Alors, à présent, rendez les bijoux et il n'y aura pas de poursuites.

J'eus l'impression que le sol montait vers moi.

— Les bijoux ? Quels bijoux ?

Pour la première fois, l'un des policiers en uniforme intervint. Il ne posa pas de question mais émit un long ricanement qui voulait en dire long. Le moustachu avait froncé les sourcils.

— Ne me rendez pas la tâche plus difficile. Des bijoux de valeur ont disparu chez le baron et tout vous accuse. Ecartez-vous.

Avant que j'aie pu réagir, les trois hommes avancèrent avec un ensemble parfait comme s'ils avaient été liés par des ficelles invisibles et arrivèrent dans la salle à manger.

— Officier de police Heinrich Man, brailla le

moustachu en brandissant une carte. Nous avons ordre de perquisitionner.

Ma mère pâlit, mes frères se levèrent.

— Mais pour quelle raison...

— Vous êtes accusés d'avoir dérobé des bijoux lors de la journée d'hier.

Le policier sourit d'un air entendu, contempla l'appartement et parut tout à coup pris d'un doute.

— Au fait, demanda-t-il, vous êtes bien des tsiganes ?

Malgré la situation, Max partit d'un grand rire.

— Mais pas du tout ! Nous jouons en costume tsigane, mais ce n'est pas pour cela que nous le sommes.

Les policiers tiquèrent. Il était évident pour eux que si nous avions été des bohémiens nous aurions été obligatoirement les voleurs ; notre culpabilité, à présent, était déjà moins sûre.

Après avoir consulté nos papiers, le moustachu hocha la tête.

— Vous n'êtes peut-être pas tsiganes, mais vous êtes étrangers, et en plus...

Il n'acheva pas sa phrase, mais je la terminai pour lui :

— Et en plus nous sommes musiciens, c'est une raison de plus pour se méfier.

Les policiers ne tiquèrent même pas et se livrèrent à une fouille soignée de l'appartement. Ils n'oublièrent pas un tiroir, vérifièrent les matelas, regardèrent sous et sur les armoires et je crus qu'ils allaient sonder les murs et les planchers.

J'étais hors de moi. Avant de partir, Heinrich Man frotta ses mains poussiéreuses.

— Ce n'est pas fini pour vous, maugréa-t-il, vous ne quittez pas Vienne et vous passerez au commissariat demain matin pour interrogatoire.

Je bouillais de rage et une idée me vint :

— Laissez-nous n'y aller que demain après-midi, j'aimerais demain matin avoir une discussion avec le baron et il me faut le temps d'y aller.

Heinrich Man eut une grimace entendue.

— Vous préférez remettre directement votre butin à son propriétaire ?

— J'aimerais surtout avoir une conversation avec cet immonde salaud.

Les trois flics sursautèrent, me regardèrent curieusement et ne firent aucun commentaire avant de sortir.

Cela pouvait être grave. Si le baron portait plainte, il y aurait enquête. Nous étions innocents, mais je savais d'expérience que l'innocence est souvent bien insuffisante pour éviter les ennuis. J'étais sûre que ce nabot à tête de brebis se vengeait de mon refus de l'accompagner à travers l'Europe. Ne pouvant m'avoir dans son lit, il voulait me voir en prison. Mais ça n'allait pas se passer comme cela.

Dans la nuit qui suivit, j'eus une longue discussion avec mes frères sur la conduite à tenir. Isaac et Yanni étaient d'avis de voir venir, de se faire le plus petit possible, mais je trouvai un appui auprès de Max et de Boris qui avaient hérité,

comme moi, du caractère fonceur de mon père.
Max brandissait ses deux poings.

— Je vais lui démolir son château de sucre
d'orge, clama-t-il, et quand j'en aurai fini avec les
murs, je l'enfoncerai dans la terre en lui tapant
sur le crâne à coups de masse.

Au cours de la discussion, Isaac s'approcha de
la fenêtre, nous imposa le silence et fit signe de le
rejoindre : auprès d'un fiacre arrêté, on devinait
deux silhouettes immobiles. La maison était gar-
dée.

D'une façon comme de l'autre, ce satané baron
Klugsdorf allait me payer ça et pas plus tard que
le lendemain.

A dix heures précises, je franchissais une nouvelle fois la grille du parc du château de Treneü.

Je laissai mes frères dehors, escaladai les marches et pénétrai au pas de charge dans le grand
hall, où je clamai d'une voix de stentor :

— Je veux voir le baron Klugsdorf !

Je n'attendis pas quinze secondes : serré dans
une robe de chambre trois fois trop grande pour
lui et sur les pans de laquelle il trébuchait à chaque fois, le petit baron fonça vers moi, les bras au
ciel, et une nouvelle fois se jeta à mes pieds, profé-
rant des sons inarticulés. Des larmes dans la voix,
il parvint enfin à articuler :

— Pardon, Anna, pardon, pardon, pardon, ce
n'était pas vous, mais je ne l'ai jamais cru, j'ai fait
prévenir, je vous demande pardon...

Je n'eus pas le temps de réagir qu'il m'entraînait déjà à l'intérieur du château, mouillait mes

mains de larmes et de baisers, et j'appris de sa voix suraiguë la vérité. Un collier de perles, deux bracelets de diamants et trois bagues avaient disparu. La police alertée, les soupçons s'étaient portés, bien sûr, sur le personnel engagé pour le mariage et sur nous en premier.

Et puis, hier soir, on avait retrouvé les bijoux. A ce stade du récit, le vieux baron se leva en tapinois, essuya ses yeux humides et alla pousser le verrou de la pièce où nous nous trouvions et se mit à chuchoter :

— Plus exactement, c'est ma fille qui les a retrouvés... Oh! pas bien loin : ils étaient dans la poche de...

Il fit un effort terrible pour parler mais n'y parvint pas. Je l'encourageai et il finit par s'y décider :

— C'était Wilhelm, mon beau-fils. Je ne lui en veux pas, d'ailleurs..., c'est un charmant garçon, comme vous l'avez remarqué, et il fera sans doute un très bon gendre, mais, depuis tout petit, il a un comportement curieux : des accès fréquents de somnambulisme, des absences... et, par-dessus tout, il est kleptomane.

— Kleptomane!

— Oui, kleptomane, à un degré incroyable. Il a tenté de dérober la bague de l'archevêque de Vienne en pleine cathédrale. Vous vous rendez compte!

Je lui affirmai que je me rendais parfaitement compte mais qu'il aurait pu se souvenir de ce petit détail concernant son gendre avant de m'envoyer la police.

Il retomba aussitôt à genoux (cela doit être une manie chez lui) et recommença à me demander pardon. Lorsque je lui appris que notre appartement avait été fouillé, je crus qu'il allait se jeter la tête contre les murs; je fus obligée de le réconforter.

Avant de me laisser partir, il tint à m'offrir un splendide vase d'albâtre et donna devant moi l'ordre d'expédier des gerbes de roses à notre adresse.

— Pour madame votre mère, pour la chère Mme Markov, et dites-lui bien que la honte est pour moi, toute la honte...

Cher vieux baron, il n'était pas si méchant que je l'avais pensé. Je le quittai presque avec tendresse. Il me faisait de la peine avec ses gros yeux globuleux pleins de tristesse.

Je le saluai, lui assurai que je lui gardais toute mon estime et qu'il n'y avait en mon cœur nulle trace de rancune. Lorsque j'eus atteint la porte, il m'appela :

— Anna ?

Je me retournai.

— Oui ?...

Il toussota, parut retrouver un peu de son assurance et dit négligemment :

— Au fait, je ne vous ai pas redemandé, en ce qui concerne notre petit voyage... Rome, Venise, etc., vous êtes toujours du même avis ?

Je l'ai presque admiré à ce moment-là — un

aplomb de cette envergure est tout de même exceptionnel. Je n'eus pas la force de me fâcher et c'est en souriant que je lui affirmai que je n'avais pas changé.

Qu'est devenu le superbe château de sucre blanc, son minuscule baron et son gendre kleptomane?

Le temps a dû sur eux comme sur toutes choses accomplir son œuvre et je ne serais pas surprise que sur l'emplacement du parc et du superbe édifice s'élève maintenant un supermarché ou une station-service... Ainsi va la vie.

Nous vivons mieux.

Boris guide les visiteurs dans le parc de Schönbrunn et en perd de moins en moins en route. Max photographie à tour de bras. Isaac et moi jouons au Moulin d'Or presque chaque soir et il est arrivé une histoire merveilleuse à Yanni : il est comptable.

La chose n'a pas été facile pour lui les premiers mois. Il rentrait tous les soirs en se plaignant que son patron, un marchand de vêtements en gros, lui faisait refaire les comptes chaque soir en assurant qu'il y avait une erreur.

— C'est systématique, gémit Yanni. Je lui présente le livre, il regarde, referme et me dit : « Encore une erreur, monsieur Markov, vous partirez quand vous l'aurez retrouvée. » A chaque fois je reprends tout, je vérifie, je fais quinze fois les mêmes additions et le résultat est toujours le même. Je dis alors : « J'ai tout vérifié, monsieur Hofman, je n'ai pas retrouvé l'erreur. » Alors ce satané bonhomme regarde une nouvelle fois et dit invariablement : « Vous avez raison, monsieur Markov, c'est moi qui m'étais trompé. » Et il s'en va sans s'excuser. Ce type doit être fou.

— Mais non, dis-je, il doit le faire exprès pour être sûr que ses comptes soient bien exacts.

L'autre soir Yanni est arrivé tout faraud.

— J'ai trouvé pourquoi il faisait cela, dit-il.

— Pourquoi ? demanda Boris.

— Il ne sait pas lire, expliqua Yanni, ni lire ni écrire et pas plus les lettres que les chiffres. Avec son système, il est tout de même sûr que le travail est très bien fait.

Avec nos salaires, maman arrive à faire des économies et je sens déjà qu'une idée s'empare de tous les esprits. Nous allons pouvoir bientôt reprendre le voyage.

Comme Kezat est loin déjà, et Odessa, et Istanbul, et même Budapest... Il me semble que cela appartient à un autre monde; cet autre monde a déjà un nom, il s'appelle « autrefois ».

L'été s'est enfin enfui, et l'automne. Il fait froid à nouveau sur Vienne et les bords du Danube se sont recouverts d'une mince pellicule de glace. A la maison, le poêle à bois est bourré jusqu'à la gueule.

Et c'est quelques jours avant la Noël, le 19 décembre exactement, que se produit l'accident. L'accident le plus stupide qui devait hâter notre départ de Vienne. Inconsciemment, nous avons toujours obéi à la même tactique. Lorsque le sort frappait l'un d'entre nous, dans une ville, nous avons toujours abandonné la place, peut-être sous l'emprise de la superstition.

Ce jour-là, Max photographiait un militaire dans la petite pièce du bas qu'il avait aménagée en studio. J'étais en haut, dans ma chambre, en train de lire, et l'explosion me coupa le souffle. J'entendis un hurlement de douleur qui me figea le sang dans les veines. Je descendis quatre à quatre. Une fumée blanche m'emplit les poumons et je vis un soldat courir, me bousculer en toussant. Max surgit, il me dit de m'en aller. Je vis qu'il ruisselait de sang. Il tomba en voulant remonter l'escalier et je vis des gouttes rouges couler sur les marches. Je courus chercher le médecin, incapable de comprendre ce qui était arrivé. Je supposais que ce militaire avait tiré sur Max. Pourquoi ? Je l'ignorais. Peut-être une affaire de femmes ? Peut-être pour le voler ? Je ne comprenais pas...

Je sus la vérité quelques heures plus tard. Max tenait de sa main gauche une sorte d'entonnoir comportant une charge de magnésium dont l'explosion lumineuse lui permettait de prendre des photos. Il fut sans doute imprudent ce jour-là. Peut-être mit-il trop de poudre, mais la déflagration fut d'une violence extraordinaire et la main fut sectionnée pratiquement à hauteur du poignet. Lorsque je me penchai sur mon frère, encore pâle comme un linge, il eut un regard rapide vers son moignon. Puis il me sourit et murmura :

— Je n'ai jamais été un très bon violoniste,

Anna, ce ne sera pas une grande perte pour la musique.

Je savais, moi, qu'il avait été un excellent violoniste mais qu'il avait raison de ne pas revenir là-dessus et qu'un homme est capable de travailler et de vivre avec une seule main. Jamais plus l'un de nous ne prononça le mot « manchot » ou « infirme ».

Adieu, Vienne; adieu, Veriblansky, mon cher vieux mage; adieu, baron Klugsdorf; adieu, mes chers strudels et vous, mes amoureux des bords du Danube. Une page se tourne. Anna reprend la route et, dans le début de cette année 1912, la voilà qui grimpe dans le compartiment un carton à chapeau d'une main, une valise dans l'autre, son étui à violon sous le bras.

La prochaine escale n'est pas encore New York. Mais elle porte un nom qui évoque pour moi bien des rêves... Demain nous serons à Paris... Paris !...

LIVRE VI

CHAPITRE PREMIER

Dans le train qui roule à travers la morne campagne allemande, mes compagnons se sont endormis. Je peux à peine lire la lettre que notre cousin David Bronstein nous a expédiée de la capitale française voici plus d'un mois. La lampe oscille au rythme des roues et les pattes de mouche que notre cousin appelle écriture ne me facilitent pas la tâche.

Comme nous sommes heureux de te revoir, toi et les enfants! Bien sûr, nous ne les reconnaîtrons pas, surtout Anna qui avait quatre ans lorsque nous avons quitté la Russie. Je vous ai trouvé un appartement. Il est situé tout près de la gare par laquelle vous arriverez. Il sera un peu petit, mais, lorsque vous serez là, vous pourrez peut-être trouver autre chose. Je dois te dire tout de suite, ma chère cousine, pour moi les voyages sont finis. J'ai eu aussi comme ton pauvre Marko le désir de l'Amérique, mais, vois-tu, lorsque je suis arrivé dans le XVIIIᵉ arrondissement de Paris, en arri-

261

vant directement de Tcherkassy, j'ai vu écrit « Liberté - Egalité - Fraternité » sur le fronton de la mairie qui se trouve place Jules-Joffrin. Eh bien, je me suis dit : « David, tu as trouvé ce que tu cherchais depuis toujours, ne pousse pas plus loin. Tu es arrivé. »

Bien sûr, Sarah est heureuse de vous voir et je serai à la gare pour vous chercher le jour heureux de votre venue. Je te quitte, chère cousine, et n'oublie pas « Liberté - Egalité - Fraternité ». Je t'embrasse.

DAVID.

Cette lettre est adressée à ma mère, qui l'a lue et relue.

J'ai sorti un livre que Boris m'a offert il y a quelques jours : *Paris, Ville lumière.*

Il y a des choses merveilleuses : un fleuve comme à Vienne et des monuments : l'Arc de Triomphe, le Louvre, la tour Eiffel, le Panthéon; des gravures à toutes les pages, à se demander s'il reste de la place pour loger tous les habitants. Je regarde surtout les photos représentant les grands boulevards. Elles sont un peu floues, mais ce qui me chagrine c'est qu'on ne voit pas d'orchestre dans les cafés. Enfin, s'il n'en existe pas, on lancera une mode !

« Chaque soir, le flot des fiacres et des voitures à moteur amène devant le chasseur de chez Maxim's le Tout-Paris de l'art, de la mode et de l'argent. Vedettes, rois de l'acier ou du caoutchouc; on distingue le profil impertinent de Mistinguett, la silhouette de Mme Lanvin... » Tout cela est pour moi, si j'ose dire, de l'hébreu.

Qui peuvent bien être cette Mistinguett et ce Maxim's avec son chasseur ?

Enfin, on verra bien, mais la première des choses que je demanderai au cousin David sera de me faire visiter la capitale ! Et cela dès mon arrivée.

Dans un bruit grinçant d'essieux, le train s'arrête une fois de plus. Visite de la douane encore. J'ai l'impression que ça n'a pas arrêté de toute la nuit.

Mes frères s'étirent, maman sommeille encore, le front contre la vitre.

— Douanes françaises. Préparez vos passeports.

Un costaud vient de surgir, la casquette en arrière et le revolver au côté, mais il a l'air tellement débonnaire que mon impression reste favorable. Il passe devant moi en sifflotant et me fait un sourire et un clin d'œil.

C'est le premier Français que je vois de ma vie, si j'excepte le marchand de tapis d'Istanbul. Les formalités ont été rapides et le train s'est remis en marche. J'essaie à présent de percer la nuit épaisse. Je cherche à distinguer dans le paysage noyé d'ombre quelque chose qui soit différent des décors que j'ai parcourus jusqu'ici. Mais ces villages traversés à toute allure, ces talus, ces champs labourés sont semblables à ceux d'Europe et j'ai peur que ce pays ne me déçoive.

Je me suis assise. En face de moi, Boris sommeille, le menton appuyé sur sa poitrine.

Il fait bon dans ce compartiment. Les voix feutrées de deux voyageurs d'un compartiment voisin parviennent jusqu'à nous. Curieuse, cette langue française! J'en ai appris quelques rudiments durant les dernières semaines passées en Autriche. Il paraît que j'ai un accent épouvantable qui sent la Russie à plein nez. Tant pis! Agirai-je comme le cousin David et ferai-je mon asile définitif dans ce coin du monde?... dans cette France en laquelle je pénètre pour la première fois?... Qui sait? Peut-être moi aussi irai-je un jour chez Maxim's? Peut-être rencontrerai-je Mistinguett et tous les beaux messieurs de la gravure? Peut-être même que...? Je n'en finirai jamais de rêver!...

— Réveille-toi, Anna, nous arrivons.

J'ouvre les yeux. Tout s'agite autour de moi. Yanni fume dans le couloir et Isaac descend les valises.

Seigneur!... Est-ce cela, Paris?

La voie longe de hauts murs gris, crasseux, couverts de suie et une pluie fine tombe, faisant briller les cailloux du ballast.

Tout en haut des murs, des grilles et des maisons étroites aux façades rongées de lèpre; on aperçoit parfois sur un rebord de fenêtre un géranium anémique qui jamais ne pourra rougir. Non! Ce n'est pas possible! Le mécanicien a dû faire une erreur...

Je suis furieuse après ce maudit bouquin. *Paris, Ville lumière,* tu parles!

Boris rit de ma déception.

— Ne t'inquiète pas, une ville est comme un théâtre : les coulisses sont toujours sales, et la banlieue, ce sont les coulisses de la ville.

Nous passons sous des pont métalliques. Les cieux sont d'un gris uniforme. Peu de monde sur les quais, des employés, des chariots et nous restons dans le vaste hall, sous la verrière qui dégage des lueurs d'aquarium.

Le cousin n'est pas là : la lettre n'a pas dû lui arriver.

Des gens nous regardent. Nous formons un groupe désemparé, anachronique, désolé. Serrés les uns contre les autres, entourés de nos valises et de nos sacs, je sens que nous offrons le tableau parfait d'une famille d'émigrants.

— Si seulement je savais où David habite !... murmure maman.

Je me frappe le front et sors la lettre de ma poche.

Si le cousin a eu l'heureuse idée de mettre son adresse au dos de l'enveloppe, nous sommes sauvés.

Victoire, elle y est : *David Bronstein, 14, rue Marcadet, Paris, France.*

En avant pour la rue Marcadet.

Je sais aujourd'hui que de la gare de l'Est à la rue Marcadet ce n'est pas le bout du monde. Mais j'ai le souvenir d'une expédition invraisemblable, de murs interminables et gris, de longs murs d'hôpital que je sus plus tard être ceux de Lariboisière, d'avenues qui montaient raide tandis que

265

ma boîte à violon glissait sans cesse et que mes épaules étaient entraînées par le poids des valises. Je demandai plusieurs fois le chemin. Chaque personne interrogée me faisait répéter. Je devais avoir vraiment un accent qui rendait mes propos inintelligibles.

Nous arrivâmes enfin. Notre cousin habitait au quatrième étage d'un escalier aux marches qui me semblaient très hautes. Lorsque la porte s'ouvrit enfin, je faillis m'évanouir de joie et d'épuisement.

J'ai dormi quatorze heures d'affilée. David et Sarah sont charmants. Ils nous ont gavés de boulettes de viande et nous ont fait raconter toutes nos aventures. J'ai obtenu la promesse que l'après-midi nous irons voir Paris.

Les garçons sont partis afin de ranger l'appartement où nous allons vivre. Sarah préfère rester à la maison. David, maman et moi allons faire les touristes dans la capitale.

J'ai mis ma plus belle robe, des souliers confortables, car nous allons beaucoup marcher, et à deux heures nous voilà partis, David au milieu, maman à sa gauche, moi à sa droite, cramponnées à ses bras car il ne s'agit pas de le perdre.

— Tout d'abord, lance David, en avant pour la porte de Clignancourt !

Son enthousiasme me fait plaisir à voir. Je cherche à me rappeler ce nom, mais je n'ai pas l'impression de l'avoir lu dans mon livre *Paris, Ville lumière*.

Nous y sommes très vite. Dans un grand terrain vague, des quantités de petits étalages s'entassent. David est très connu, car des amis l'appellent souvent. Il fait l'important, refuse de s'arrêter.

— Je fais visiter la capitale à ces dames...

Il nous présente à un rempailleur de chaises et à un brocanteur hirsute né à Riga. Evidemment, ce n'est pas encore Mistinguett ou Jeanne Lanvin, mais il y a un commencement à tout.

— A présent, nous allons prendre la rue Damrémont...

D'après son ton, ça doit être quelque chose de merveilleux. J'ai beau écarquiller les yeux, je ne vois rien d'exceptionnel : des trottoirs un peu plus longs qu'ailleurs, peut-être, mais à part ça...

David rit de plaisir et se penche vers moi :

— Pas mal, hein ?

J'approuve également et son bras tendu me désigne un mur de pierres grises qui longe l'horizon.

— Le cimetière de Montmartre. Il y a de très belles tombes, voulez-vous entrer ? Non ? Alors on va remonter par la rue Caulaincourt.

Animée, la rue Caulaincourt : des marchands des quatre-saisons, des bougnats, des cordonniers, tout un petit monde d'échoppes et de bistrots; il y a des marchands de marrons à l'angle de chaque rue et galamment David nous en offre une portion qui me brûle le creux des mains.

— Hein ! s'exclame-t-il, quelle ville ! quelle ville !

J'approuve discrètement et déjà il nous entraîne par la rue Custine.

— Vous allez voir, prévient-il, ça, c'est quelque chose.

Nous hâtons le pas. Je pense que la tour Eiffel, ou les Invalides, ou la Concorde vont jaillir devant nous dans une splendeur subitement étalée.

David s'arrête : un long boulevard s'ouvre après le carrefour. Il est planté d'arbres et un omnibus à cheval le remonte avec peine.

Comme s'il faisait visiter la chapelle Sixtine, David baisse la voix.

— Le Barbès, dit-il, vous êtes devant le Barbès.

Il reste planté sur le trottoir légèrement en arrière sur ses talons, sans doute pour nous laisser admirer.

— Vous n'êtes pas trop fatiguées ?

Un peu déjà, mais il reste tant à voir qu'il n'est pas question d'y songer. Il reste le Louvre, les Tuileries, la tour Eiffel, la Seine, Notre-Dame... En fait, il nous reste tout à voir.

— Pas du tout, on continue.

— Alors, en avant.

Je peux aujourd'hui retrouver notre périple de cet après-midi-là. Certains noms de rues ont changé, leur aspect surtout, mais ce quartier de Paris ne s'est guère modifié. Nous avons remonté le Barbès jusqu'à la rue des Poissonniers, traversé la rue Ordener, longé la rue Championnet et, par un dédale de ruelles mal pavées, épuisantes pour les chevilles et les talons, nous nous sommes retrouvées exténuées en bas de la rue Marcadet, devant une tasse de thé brûlant sorti du samovar de Sarah.

Je l'ignorais alors, mais je le sais aujourd'hui : nous avons visité le XVIIIe arrondissement de fond en comble.

Avec un soupir d'aise, David se renverse sur sa chaise, et, en s'aidant de la pointe d'un soulier pour appuyer sur le talon de l'autre, il enlève une de ses chaussures.

— Alors, demande-t-il joyeusement, ça vous a plu, Paris ?

Partagée entre le rire et la fatigue, je me décide à protester :

— Mais, David, je ne comprends pas : et le Louvre ? la *Joconde* ? le Trocadéro ? le Panthéon ? les quais ? les Champs-Elysées ? le bois de Boulogne ?

Il me regarde, les yeux ronds.

— Mais qui t'a parlé de tout ça ?

— Je l'ai lu dans un livre, je peux te le montrer...

Il paraît vexé. Il tourne longuement le sucre dans sa tasse et dit :

— Evidemment, évidemment... Si vous voulez faire du tourisme...

J'étais malheureuse de l'avoir peiné. Il se lance alors dans une démonstration confuse. Il explique que tous ces monuments que j'énumérais étaient très surfaits. Ils offraient peu d'intérêt. Par contre, lui, David, il avait montré ce qui valait vraiment le coup, ce qui était le véritable Paris.

Je comprends aujourd'hui mon brave cousin David.

Peut-être n'avait-il pas tort au fond. C'était vrai que Paris se limitait pour lui à ce quartier où il avait son travail, sa maison, ses amis et que tout le reste ne comptait pas. Je crois que jusqu'à sa mort, qui devait survenir en 1924, il ne franchit jamais les limites de son XVIIIᵉ, comme s'il avait senti qu'au-delà de l'avenue de Saint-Ouen, qu'au-delà des boulevards de Clichy, de Rochechouart, de la Chapelle et de la rue d'Aubervilliers, commençaient d'étranges contrées, inquiétantes et hostiles, régions mystérieuses et inconnues où il est prudent de ne pas aborder. Dans ses frontières librement choisies vivait toute une colonie juive, tous les exilés de Russie et d'Europe centrale, et c'est là qu'il avait fait escale pour toujours, oublieux des flots du monde qui venaient battre et mourir autour de la rue Marcadet.

CHAPITRE II

Je pousse la porte du petit salon de coiffure et la clochette tinte longuement.

David Bronstein se retourne, les ciseaux à la main, le peigne dans l'autre. Je l'embrasse et il me sourit.

— Qu'y a-t-il, Anna ?

— Maman vous invite samedi à la maison, pouvez-vous venir ?

David fait courir ses ciseaux agiles dans la chevelure de son client puis longuement l'inonde d'une sorte de liquide sirupeux qui ressemble à la confiture dont les Viennois bourrent les omelettes.

— Bien sûr qu'on viendra... Vous êtes bien installés à présent ?

— Oui, tout à fait... Et j'ai trouvé du travail.

— Ah ! ah ! Et que fais-tu ?

Je me rengorge.

— Les cinémas, dis-je. On court de l'un à l'autre entre les films, on fait le Royal Ordener, les Folies et le Majestic-Palace.

271

Le garçon qui aide David et qui ne s'est pas encore retourné abandonne son client et m'adresse un sourire éclatant.

— Je vous ai vue avant-hier soir aux Folies, dit-il, le soir où on passait *La Mystérieuse Espionne* avec Musidora.

— Et ça vous a plu ?

— Le film ?

Je rougis.

— Non, mon orchestre...

Il rit, très à l'aise.

— Oui, c'était très bon, j'aime beaucoup les tsiganes.

— Tu vois, intervient David, tu as déjà un admirateur...

Je pars très vite du salon de coiffure Bronstein, le sourire de mon cousin me poursuivant presque dans la rue. Ce sourire, je le chassai très vite et rejoignis mes frères aux Trois Fauvettes, un café-épicerie-marchand de bois qui était notre centre de ralliement.

— Alors, les romanos, hurlait le patron, on part encore faire la fête !

Qu'est-ce que j'ai pu en jouer, de la « zizique », à cette époque ! Il y en a peu qui comme moi ont connu l'atmosphère de ces vieux cinémas aux lourds rideaux drapés. Devant un écran large comme un mouchoir, un pianiste, au torticolis permanent, décidait des notes en suivant l'action sur l'écran en une improvisation continuelle. Je crois bien ne jamais avoir vu un film en entier. J'arrivais à la fin du premier et partais au début du deuxième. Cela m'a permis d'entrevoir les collants noirs de Musidora ouvrant des coffres-forts, Nick Carter tirant des coups de feu silencieux sur des bandits masqués bondissant dans des torpédos, Fantômas sautant d'un toit à un autre, les poches gonflées de diamants dérobés, et Broncho Billy ficelé à des mâts successifs par des Indiens recrutés sur les hauteurs de Belleville et dans la plaine de Grenelle.

Quant au public, souvent clairsemé, il était composé à 90 p. 100 d'hommes en casquettes circulant le long des promenoirs. Il y avait aussi des bourgeois à lorgnons, des ouvriers boulangers, des employés de trams et il faut dire que nous remportions d'assez bons succès, au Majestic-Palace entre autres, où la clientèle était mieux choisie et où nous passions entre deux films dont l'action se poursuivait par épisodes sur une trentaine de jours. Nous jetions un manteau sur nos costumes de scène et courions dans les rues jusqu'à un deuxième cinéma.

Un soir, en sortant du « Casino-Fleur », ma soirée terminée, un homme s'approcha de moi. Je reconnus le sourire du garçon coiffeur de chez David. Il semblait intimidé, mais, comme je lui souriais aussi, il m'aborda.

— C'était très bien, dit-il, j'aime beaucoup les csardas.

— Ça tombe bien, c'est ma spécialité.

— J'étais venu voir Nat Pinkenton, dit-il, c'est mon héros préféré.

Je compris d'emblée que c'était un mensonge,

mais cela me fit plaisir. Boris s'approcha, tout pétillant, et salua mon admirateur, qu'il connaissait vaguement.

— Ça vous dérangerait de reconduire Anna ? J'ai un empêchement et...

Je connaissais parfaitement son empêchement, ou plutôt ses empêchements. Il y avait Myriam les jours pairs, apprentie bouquetière rue Riquet, et Mauricette, couturière à façon près de la Madeleine. Lorsqu'il avait son costume tsigane, aucune Parisienne ne semblait pouvoir résister à Boris. Je partis donc avec mon compagnon à travers les rues déjà désertes de ce bon vieux XVIIIe arrondissement. J'appris qu'il s'appelait Roman. Roman Joffo.

— J'ai parlé de vous avec mon patron, avoua-t-il, je n'ai pas l'impression qu'on vous ait très bien pilotée dans Paris...

— C'est le moins qu'on puisse dire. Et, comme je travaille tous les soirs, je n'ai pas encore vu le moindre monument. Ils pourraient ne pas exister, ce serait pour moi exactement la même chose.

Nous fîmes quelques pas en silence. Il murmura, comme quelqu'un qui brusquement prend son courage à deux mains :

— Si vous voulez, je peux vous montrer tout ça... Dimanche, par exemple. Vous savez monter à vélo ?

— Bien sûr !

Evidemment, je n'étais jamais montée sur un pareil engin de ma vie, mais je ne voulais pas paraître trop gourde.

274

— Je demanderai à ma sœur de me prêter le sien. Alors, c'est entendu pour dimanche? A dix heures, ça vous va?

— D'accord.

Nous étions arrivés et je lui tendis la main. Nous restâmes quelques instants immobiles sous les étoiles et il disparut brusquement.

Je montai en sifflotant les escaliers et je m'aperçus très vite que ma joie ne venait pas de découvrir bientôt Paris mais de le découvrir avec lui.

Sapristi, est-ce que j'allais tomber amoureuse de ce Joffo? Ça n'était pas encore prouvé.

La porte grince toujours en s'ouvrant. Maman est là, assise, avec son éternel tricot.

— J'ai une nouvelle, fredonne-t-elle en m'embrassant. Oui, nous avons une visite dimanche.

Ça ne fait pas du tout mon affaire.

— Et qui vient dimanche?

Comme si elle avait dit : « Le tsar de toutes les Russies », elle annonce :

— Charles Bronski!

Il faut dire que Charles Bronski n'est pas n'importe qui. Je l'ai rencontré déjà deux fois : bel homme, la quarantaine virile, la chevalière astiquée, la chaîne de montre d'une demi-livre. C'est le roi de la fourrure et mon petit doigt me dit que si je voulais finir mes jours dans l'ocelot, le rat d'Amérique ou le skunks, ça ne serait pas bien difficile.

Je bâille à m'en décrocher la mâchoire et j'embrasse maman. Demain, il faut que j'achète une de ces larges culottes bouffantes comme en portent les jeunes cyclistes. Ce sera mon premier achat parisien.

Trop tard pour reculer, mais c'est vraiment impressionnant. Je n'aurais jamais cru que la selle soit si haute. Et le pire de tout, c'est que la rue est en pente.

Du courage, Anna, ça ne doit pas être bien sorcier.

Roman est splendide : col roulé, casquette et costume à carreaux, c'est le vrai sportsman.

— Nous y allons ?

Je prends ma respiration et m'installe. Quelques piétons sur les trottoirs, mais la rue est vide — je crois que c'est préférable.

Le trottoir opposé me fonce dessus, je pousse un cri et pars en sens inverse d'un grand coup de guidon : je m'incline à trente degrés, me relève, la chaussée fuit sous moi, ça s'accélère, j'entends Roman qui crie, je suis au moins à cent à l'heure, et devant moi le tournant ! Au fait, où sont les freins ? Une pédale m'échappe, me frappe la cheville et la roue avant heurte le trottoir. Je m'élance gracieusement dans les airs et m'étale dans le caniveau.

Un peu sonnée, je m'assois péniblement. Derrière moi, il y a une galopade effrénée. Des piétons se précipitent. La roue de la bicyclette tourne toujours, couchée sur le côté, tandis que ses rayons étincellent au soleil.

Roman est là et s'agenouille. Il a un visage de drame.

— Vous n'avez pas de mal? Bougez les jambes, les bras, doucement.

Je lui obéis : tout a l'air à peu près intact. Il m'aide et je me relève péniblement tandis que la concierge du 22 s'exclame et ne tarit pas de reproches sur ces petits jeunes qui vont si vite sur leurs engins...

Appuyée au bras de mon compagnon, je fais quelques pas. Je suis endolorie, bien sûr, mais rien de grave.

En tout cas, ce n'est pas demain que je remonterai sur ce maudit vélo.

— Je parie, dit Roman, que vous n'étiez jamais montée sur une bicyclette.

Je baisse la tête. Il est difficile de nier après que l'on m'a vue à l'œuvre.

— Jamais, dis-je, mais je sais faire du cheval, par contre...

Il rit et serre mon bras.

— Je vous apprendrai. En attendant, on a une grande promenade à faire.

Je m'arrête.

— Mais comment? On va être obligés de prendre l'omnibus.

— Pas question, vous allez voir.

Deux minutes après il pédale alors que je suis en amazone, assise sur le cadre, grisée par la vitesse.

Et c'est ainsi que, installée sur une vieille bicyclette ferraillante, je franchis pour la première fois les frontières du XVIIIe arrondissement.

Cette matinée reste l'un de mes meilleurs souvenirs. Je m'aperçois en écrivant ce livre qu'ils ont été nombreux, et c'est tant mieux.

Heureuse époque où l'on pouvait visiter Paris à vélo !

Lorsqu'il m'arrive de passer devant les Tuileries en empruntant les quais de la Seine recouverts de voitures de la Concorde jusqu'à la place des Pyramides, je me souviens de ces heures où nous glissions, solitaires ou presque, le long des berges ensoleillées.

Pauvre Roman ! Il peinait dans les montées bien que je ne sois pas bien lourde et il dut ce matin-là perdre quelques kilos, mais je découvrais enfin Paris, les grands boulevards, la place de l'Opéra dont nous faisions deux fois le tour sous l'œil débonnaire d'agents de police encapuchonnés malgré la chaleur, puis la descente de la rue Royale où il me montra Maxim's. Je ne vis pas Mistinguett, mais l'heure était bien matinale pour cela.

J'écarquillais les yeux, bercées par le chuintement des pneus sur les pavés. La bouche de mon guide frôlait mes cheveux et il me donnait des explications.

A Notre-Dame, il s'arrêta et j'allai donner des graines aux pigeons du parvis. Par les quais de la rive gauche nous redescendîmes, et ce fut la tour

Eiffel. C'était une grande petite fille, elle n'avait que douze ans.

Sur un banc des jardins du Champ-de-Mars, nous nous reposâmes et Roman m'embrassa. Je trouvai cela fort agréable et je ne regrettai pas le temps où c'était moi qui devais faire les premiers pas.

Il entama une longue déclaration et il en était en plein milieu lorsque je l'interrompis :

— Quelle heure est-il ?

Il parut surpris et regarda sa montre.

— Midi moins dix.

Et Charles Bronski qui venait déjeuner à midi ! Je sautai sur mes pieds.

— Il faut que je rentre, nous avons un invité et maman m'a fait promettre d'être exacte.

Avec une grimace de douleur, il renfourcha sa bicyclette. Je m'installai et il s'élança sur le pont du Trocadéro.

Il avait l'air déçu et je lui promis de le revoir le lendemain soir à la sortie du Majestic.

Actionnant sans arrêt son timbre, il sprintait à travers les rues tandis que je criais pour l'encourager, serrant le guidon dans les descentes. Nous évitâmes de justesse deux voitures à chevaux et il s'effondra hors d'haleine à la porte de ma maison.

— J'ai passé une matinée formidable, Roman. Merci.

Le malheureux avait des yeux qui lui sortaient de la tête et il soufflait épouvantablement. Je crus qu'il n'arriverait jamais à me répondre.

— Il n'y a pas de quoi, dit-il, je suis content aussi.

— A demain.

Il eut un geste de noyé, essuya son front avec son mouchoir et murmura à son tour :

— A demain.

Avant de refermer la porte, je le regardai disparaître. Il marchait à petits pas, tenant son vélo d'une main, s'éventant avec sa casquette de l'autre. Si je ne voulais pas avoir un amoureux cardiaque, il allait falloir que j'apprenne à monter sur l'un de ces diaboliques engins.

Maman m'accueillit avec un air d'effroi.

— Mais tu es en nage! Va vite te changer, M. Bronski vient d'arriver.

J'allai enfiler ma robe des dimanches. Je me donnai trois coups de brosse hâtifs et, les joues encore embrasées du vent de la course, j'allai faire ma révérence à notre invité d'honneur.

Le repas fut agréable. Bronski fut aux petits soins pour ma mère et pour moi. Il parla longuement avec Max, avec qui il paraissait fort bien s'entendre, et, comme il était mon voisin de table, il remplit plusieurs fois mon assiette de frites — ce que j'appréciais beaucoup, car les frites étaient aujourd'hui en France ce qu'avaient été autrefois les strudels à Vienne.

Maman servait le café.

Bronski trempa ses lèvres dedans, reposa la tasse et, sûr de lui, se leva, un large sourire sur les lèvres. Il se tourna vers ma mère.

— Chère madame, vous excuserez la brusquerie

d'un homme d'affaires qui se double de celle d'un ancien soldat, mais je pense qu'il serait ridicule de ma part d'atermoyer davantage : je vous demande la main de mademoiselle votre fille.

Un peu la fatigue de la course, un peu la chaleur de la pièce, un peu les deux verres de bourgogne et mon corsage trop serré, dès que Charles Bronski eut terminé sa phrase, je vis les murs tourbillonner et je m'évanouis avec un parfait savoir-vivre, comme une jeune fille du meilleur monde.

— Sois heureuse, Anna, mon amour, sois heureuse...

Les joues de ma mère ruissellent de larmes, David et Sarah l'entraînent avec beaucoup de gentillesse et les portes s'ouvrent à deux battants.

Je m'arrête et mon cœur bat très fort.

Ils sont là, devant la grande salle de quarante couverts, tous les quatre, car Max aussi a revêtu son costume tsigane, et Boris me tend mon violon.

Mon orchestre.

Mon orchestre est là, toujours présent, toujours fidèle, mais je sens que c'est une des dernières fois, peut-être la dernière : je me marie aujourd'hui.

Tous nos amis sont là. Ils ont tous tenu à souhaiter bonheur et longue vie à Anna Boronsky, l'émigrée. Ils ont quitté leur travail, leurs boutiques, leurs échoppes, leurs bureaux, Russes, Tchèques, Hongrois, ceux qui sont là depuis des années, ceux qui sont arrivés de la veille, les émigrants, les exilés, les juifs.

Je les connais tous, du rempailleur de chaises de la porte de Clignancourt au plus riche d'entre eux.

Charles Bronski se penche vers moi. Ses yeux brillent.

— Je vous souhaite beaucoup de bonheur, Anna.

Il est donc venu aussi, le roi de la fourrure. Il ne m'en a pas voulu de mon refus et j'en suis émue, si émue que je l'embrasse sur les deux joues, et ma splendide robe de mariée s'accroche à un maillon de sa splendide chaîne de montre plus rutilante que jamais.

— Bonne chance, Anna.

Je me penche vers Simon et Gletka. Ce sont les neveux de Roman, Roman Joffo que je viens d'épouser ce 12 avril 1913.

— Merci, allez manger des gâteaux, il y en a à la cuisine.

Les deux enfants courent et les bouches autour de moi scandent mon nom :

— Anna ! Anna ! Anna !

Je lève très haut mon archet. Yanni, Boris, Isaac sont prêts.

— Un, deux...

Les couples tournent. Roman valse avec ma mère, Boris avec une inconnue, rousse et merveilleuse, la dernière vedette des « Nouveautés parisiennes », Isaac avec Mme Meyerson, notre voisine de palier, Yanni avec Sarah...

Je joue seule à présent et, à travers les dernières notes, je ferme les yeux et je sais que le voyage vient de s'arrêter pour toujours.

C'est dit : je ne verrai pas l'Amérique. J'ai fait comme mon cousin David : j'ai trouvé un pays. Dorénavant, il sera le mien.

— Joue encore, Anna, joue encore.

Que de choses vues, que de pays traversés ! Il me semble, aidée par la musique, que je refais le chemin à l'envers et que ceux que j'ai perdus surgissent : voici mon père, voici Avram et sa large poitrine...

— Joue, Anna, encore... joue...

Et c'est moi à présent, moi toute jeune, une enfant... Maman est auprès de moi, nous sommes dans une grande plaine, la lumière est jaune et je tiens sa main serrée très fort, tandis que je cours. C'est la maison là-bas, la maison de Kezat, la maison de l'enfance. Dans trois heures, j'aurai onze ans...

Je rouvre les yeux. La chanson est finie et tous me regardent en souriant. Roman est là.

Je suis arrivée.

« Composition réalisée en ordinateur par IOTA ».

IMPRIMÉ EN FRANCE PAR BRODARD ET TAUPIN
Usine de La Flèche (Sarthe).
LIBRAIRIE GÉNÉRALE FRANÇAISE - 6, rue Pierre-Sarrazin - 75006 Paris.
ISBN : 2 - 253 - 03023 - 6